なんのために学ぶのか

池上 彰

SB新書
504

これからを生きる
あなたたちへ

池上彰

はじめに――これからを生きるあなたたちへ

私が中学三年生のとき、高校受験の勉強に疲れ、母親に「なぜ勉強なんかしなければならないのか」と問いかけました。母親の答えは、「大人になればわかるわよ」でした。

「答えになっていない！」。実に不満でした。ところが、実際に大人になってみると、母親の言った通り、なぜ勉強する必要があるのかがわかるのです。

日々の暮らしや仕事のうえで、学生時代に学んだことが、どれだけ生きていることか。とりわけ中学校の教科書を開いてみると、「これだけの知識を習得していれば、大変な知識人だ」と痛感します。それほどに中学校の教科書はよくできているのです。

私はいま、テレビでタレントの皆さんを相手にニュースを解説する番組も担当しています。この番組で、たとえば国会や選挙の仕組みを解説することがあります。

日本の衆議院選挙は「小選挙区比例代表並立《へいりつ》制」という仕組みですね。中学校の社会科で習ったはずです。でも、なぜこの仕組みになっているのか。

かつての日本は「中選挙区制」を採用していました。中選挙区は、一つの選挙区から複数の当選者が出る仕組みです。その結果、同じ政党に所属する候補者が複数立候補するようになっていました。同じ政党の所属ですから掲《かか》げる政策は同じ。これでは政策論争になりません。「私が当選したら、この街に高速道路を引きます。橋を架《か》けます」という類《たぐい》の利益誘導《りえきゆうどう》型選挙になりがちです。

これではいけない。一つの選挙区から当選するのは一人だけという小選挙区制にすれば、各党一人ずつの立候補となり、有権者は、掲げる政策で候補者を選択できるはずです。でも、一人しか当選しない仕組みだと、大政党に有利。小さな政党は国会議員を出しにくくなります。その欠点を補うため、比例代表制度を並列して実施することになりました。これなら有権者の少数意見も、それなりに国政に反映することが可能になります。

大人になって、選挙を何度も経験することで、中学校のときに習った選挙制度の意味がこのように理解できるようになるのです。

選挙制度が変わると、選挙の結果も変わります。中選挙区制度の頃は、政権交代が起こりにくかったのですが、小選挙区だと、一部の有権者が投票行動を変えるだけで、政権交代が起こりやすくなります。いまの選挙制度は、「有権者の意向で政権交代が起こりやすくしよう」と設計されました。その結果、自民党から民主党へ、民主党から自民党へと、二度の政権交代が起きたのです。

このように日々の社会の動きを理解し、自分の行動を決めるうえで、学校で習った知識は役立ちます。と同時に、学校で習ったことの意味を、いまになって十分に理解することができるのです。勉強しておいてよかった。そう思える瞬間なのです。

なんのために学ぶのか。それを、この本で再確認してみてください。

２０２０年２月

ジャーナリスト・名城大学教授　池上　彰

『なんのために学ぶのか』　もくじ

1章　勉強が好きじゃなくてもいい
――おもしろいことが一つあればいい

2章　どうして勉強しなくちゃいけないの？
――学校で学ぶということ

3章　失敗・挫折から学ぶ
——こうして「池上彰」ができあがった

4章　読書が好き
――よい本との出合いは人生の宝だ

5章　生きることは学び続けること
――なぜ、私が学び続けるのか

1章

勉強が好きじゃなくてもいい

――おもしろいことが一つあればいい

「明日死ぬことがわかっていても勉強したい」

「世界が明日終わりになると知っていても私は今日リンゴの木を植える」という言葉があります。諸説あるようですが、宗教改革を始めたマルティン・ルターの言葉として知られています。

明日、世界が本当に終わりを迎えるならば、今日、リンゴの木を植えたところで何の意味もないはずです。それでもこの言葉が多くの人の共感を呼ぶのは、「たとえ意味がなくとも、今の自分にとって意義のあることを私はやる」。そんな強い思いに、多くの人が心を打たれ、同時に考えさせられるからではないでしょうか。

この言葉の受け取り方は人それぞれでしょう。私の場合は「世界が明日終わりになる」、つまり自分が明日死ぬ、ということを知ったとしても、それでも学びたい、勉強を続けたいと願っています。

そんなふうに思えるようになったのは、父の影響があります。私の父は「明日死ぬことがわかっていても勉強したい」という姿勢を、まさに身をもって体現してくれました。それほど旺盛《おうせい》な知識欲の持ち主でした。もう一つは、私自身「学ぶこと」の楽しさを知ったからです。

高校生の時に知りたかった「対数は役に立つ！」

私は小さい頃から本を読むのが好きでした。でも、学校の勉強は、実はそれほど好きではありませんでした。教科書を読めばわかることに長い時間をかけていることが、時間の無駄に思えたものです。「勉強は我慢して学ぶもの」という感覚の授業があまりにも多かったんですね。「勉強って実はおもしろいんだよ」というさわりを見せて、「あっ、おもしろそうだな。じゃあ、この後の話も聞いてみようか」と思わせる工夫が必要なのに、それが感じられませんでした。

私がNHK社会部記者として気象庁を担当したとき、地震について猛勉強をしました。地震のエネルギーの大きさを表す単位にマグニチュードというのがありますね。

ニュースにも出てくるように、マグニチュードは6から7に1増えるだけでエネルギーは約32倍になります。2増えてマグニチュード8になれば、32の2乗（32×32）でエネルギーは約1000倍です。なぜ1違っただけでエネルギーが32倍にもなるんだろうと思ったら、対数を使っていることがわかりました。

その後、この話を数学者の秋山仁《あきやまじん》さんに話したら、そもそも対数は船乗りが航路を計算する複雑な方法を簡単な足し算でできてしまうように開発されたというのです。

高校生のときは、対数の勉強など一体何の役に立つんだろうと思いながら数学の授業を受けていましたが、対数を使えば、地震のエネルギーのように小さなエネルギーから非常に大きなエネルギーまで一つの指標で簡単に表せるし、航海にも役立つものとは。それがわかったとたんに、「なんであの時、対数はこんなふうに役に立つんだよって教えてくれなかったのか。それがわかっていれば、もっと興味深く対数を勉強できたのに」と思ったものです。

このように、私が「学ぶことって楽しいな」と思えるようになったのは、大学を卒業して社会に出てからです。

一度学びの楽しさを味わってからは、やみつきになりました。学べば学ぶほど、いままでわからなかったことがわかるようになり、それによって自分の視野が広がります。知らないことや新しいことに出合うとかえって好奇心が刺激され、もっと多くのことを学びたくなります。学ぶことに知的スリルを覚えるようになるのですね。好奇心が満たされれば、大きな喜びにひたることができます。

こういう学びの楽しさを、小学生、中学生、高校生の頃から体験することができたら、どんなに素敵《すてき》でしょうか。でも、社会に出てからでもいいのです。どこかで学びの楽しさを知っておけば、その後は一生学び続けることができるのですから。

一流の人ほど、基礎的な知識を大事にしている

基礎的な学びや勉強には答えがあるのが普通です。学校の勉強にはたいていの場合、正解が用意されています。

ところが、研究者になるとそうはいきません。何が正解なのかわからず、答えがあ

るかどうかもわからないことが多くなります。

では、研究者は先が見えない中で、どうやって研究を続ける意欲を維持しているのでしょうか。

以前、テレビの番組でノーベル化学賞を受賞した鈴木《すずき》章《あきら》先生（北海道大学名誉教授）にお話をうかがう機会があったので、この疑問をぶつけてみました。

鈴木先生が言われたのは、常に勉強して新しい知識を吸収しておくことが大事だということでした。そうやって知的なバックグラウンドを固めておくと、「これこれの理由からAとBを足したらCになるはずだ」という仮説を立てることができるようになります。それをもとにいろいろなことを試してみて、たとえばこういう条件で実験したらいい反応が出るはずだと思ってやってみたら、実際にうまくいった。それによっていままでわからなかったことが、わかるようになった。その積み重ねがノーベル賞につながったそうです。「まぐれでやったわけではない」と先生はおっしゃっていました。

研究者は、答えが見えないからといって、やみくもに研究しているわけではないのです。

学問の道に限らず、私がジャーナリスト人生で出会った超一流と呼ばれる人たちほど、基礎的な知識を大事にしています。基礎があるからこそ、それを応用していろいろな試みができる。それを繰り返すうちに正解にたどり着けるというわけです。

科学者も注目する「セレンディピティ」とは？

鈴木先生のお話の中でもう一つおもしろいなと思ったのは、研究者にとってはチャンスも大事だということです。一生懸命に研究していると、突如として新たな発見につながるようなチャンスに巡《めぐ》り合うことがある。そういうことがあるといいます。先生は「セレンディピティ」という言葉を使っていました。

セレンディピティとは、科学者の間でよく使われている言葉です。日本語に訳すのは難しいのですが、たまたま出合ったことから研究が大きく進んでいくというイメージでとらえてください。「思わぬ発展につながる偶然《ぐうぜん》」とでも訳せましょうか。その偶然が実は大事で、偶然に導かれて研究が発展するのです。

研究者が当初から問題意識を持っていて、「これはどうすればいいのかな?」と考えているると、あるときたまたま見つけたものにひらめきを感じ、「あっ、これが役に立つんだ」と気づいて、行き詰まっていた研究に突破口《とっぱこう》が開かれる。研究が大きく飛躍するきっかけは偶然の出合いによることが多く、その偶然の出合いのことをセレンディピティと呼んでいます。

ただし、偶然といっても、それは研究者が何もしないでたまたま思いつくというものではありません。鈴木先生がおっしゃっていたように、一生懸命に研究していると、不思議とそういう出合いに恵まれるのです。

ニュートンがリンゴが落ちるのを見て、それを当たり前だと見過ごさず、「なぜ落ちるんだろう?」と研究し、万有引力の法則の発見につながったという逸話《いつわ》があります。本当にあったことなのか、実は曖昧《あいまい》なのですが、この場合、リンゴが落ちるところに出くわしたのがセレンディピティです。

学びの楽しさはご縁から

この話で思い出したことがあります。毎日のようにやってくる連載原稿の締め切り。何を取り上げるか決まれば、すぐに書き出せるのですが、扱うテーマがなかなか見つからないことがあります。こういうとき、私は書店に顔を出します。ずらりと並んだ本の数々。その中に、時々私に対して「おいで、おいで」をしている本に出合うことがあります。その本の題名を見たとたん、「そうか、この切り口でテーマを設定すればいいんだ」と思いつくのです。

もちろん、その書名通りのテーマにしてしまってはダメですが、その書名に触発《しょくはつ》されて、新しいテーマを見つけることができるのです。これが、私にとってのセレンディピティです。当たり前のことですが、こうしたセレンディピティのチャンスが得られるのは、必死になって考えていたからこそです。自分の頭で考えもせずに書店めぐりをしていたところで、セレンディピティは発生しません。

このセレンディピティの話は、多くの人に当てはまると思います。勉強嫌いだったのに、ちょっとしたきっかけで勉強が好きになったという人もいますよね。

そのちょっとしたきっかけとは、教え方のとても上手な先生に出会ったとか、受験対策で始めた勉強なのにいつの間にかその科目の魅力《みりょく》にとりつかれたとか、海外に行ってカルチャーショックを受け、日本についてもっと知りたくなったとか、本人が予想していなかった偶然であることが多いのです。

学びの楽しさを知るきっかけは人それぞれだとしても、多くの場合、出合いは偶然に訪れます。だとしたら、若いうちにその偶然、つまり鈴木先生の言う「チャンス」に恵まれた人は運がいいと思います。

学ぶことがおもしろいと思えるようになったらもうしめたもの。おもしろいことは長続きします。あとは放っておいても自分から学んでいくようになるものです。若いときに、そういうおもしろいことを一つでも見つけて、それを深く掘り下げたり、それに関わるテーマに興味や関心を広げていったりしたら、年を重ねるごとに教養が身についていくことでしょう。

数学の勉強は必要？

先ほど対数の話をしました。中学生、高校生で数学が苦手で困っている人は多いですよね。進路選択の際、数学が嫌いだからという理由で文系を選んだ人も多いと思います。

でも、社会に出てみると、数学はやっぱり重要なんだなと実感します。働き盛りの社会人でも、高校生のとき、もっと数学をちゃんと勉強しておけばよかったと後悔している人は大勢います。

私は以前、「わかりやすい説明って何だろうか」と一生懸命考えていたら、「あっ、これは因数分解だ」と気づいたのです。ニュースを解説するときに、さまざまなややこしいことを、まず共通のものを取り出してそれを外に出してから、残ったものを括弧《かっこ》でくるという形にすれば、わかりやすく説明できるのです。

y ＝ ax ＋ bx ＋ cx を因数分解すると、y ＝ (a ＋ b ＋ c) x と簡単になりますよね。この発想が、複雑に絡《から》み合った世界で日々大量に流されるニュースを整理し、共通点を見つけ出すのに役立ちます。たとえば「一国主義」でくくると、アメリカのトランプ大統領やイギリスのEU離脱、フランスのルペン旋風《せんぷう》、中国の習近平《しゅうきんぺい》体制やロシアのプーチン大統領がひとくくりで説明できます。これは因数分解を学んだからです。物事をわかりやすく理解する能力は、因数分解で身につくと思っています。

映画監督で世界的に有名になったビートたけしさんも、私と同じようなことを考えていたそうです。彼も映画の制作には因数分解が役立っていると言っています。

北野武《きたのたけし》監督の作品には、人が殺されるシーンがたくさん出てきますね。話を単純にして、仮に3人殺すとしましょう。人を順番に殺して話をつなげるだけでは単調になってしまいます。そこで、一人目を殺害するシーンはじっくりと丁寧《ていねい》に見せて、二人目は直接殺害するところは見せない。人が倒れているところから殺した人が出て行くシーンにする。そして三人目は、血がついたナイフを拭《ふ》くだけにして、観客がそれでもう殺したなということがわかるようにする。そういう演出ができるのも、因数分解を学んだからなのでしょう。

これはほんの一例ですが、無味乾燥に見える数学も、それが世の中でどのように応用されているかを知ることで、もっと楽しく学ぶことができるようになるのではないでしょうか。

最貧国マラウイで「風をつかまえた」少年

2010年、『風をつかまえた少年』（田口俊樹訳、文藝春秋）という本に出合いました。これはアフリカ大陸南東部のマラウイという、アフリカの中でも最貧国に属する、非常に貧しい国のある少年の物語です。

マラウイは2001年に飢饉《ききん》に見舞われ、14歳のウィリアム・カムクワンバ少年は、中等学校の学費を親が払えなくなって学校に行けなくなります。でも、勉強したいという気持ちは人一倍強く、近くの小学校の図書館に行って、そこにある本を読んで独学を始めました。

もともと物が動くしくみに興味を持っていたウィリアム少年は、理科や物理の本を読みあさるようになり、ある日、「棚《たな》の奥に隠れて見えにくくなっていた……〈エネルギーの利用〉という題名のアメリカの教科書」を偶然目に留《と》めます。この1冊の本との出合いが、少年の人生に決定的な影響を与えました。

彼はこの本や物理学の入門書で発電のしくみを学び、「こういうふうにすれば電気が起こせるんだ」と知るのです。

少年の家には電気が来ておらず、周りには電気のない不便な暮らしをしている人が大勢いました。そこで風車で電気を起こそうと考えます。ちゃんとした部品をそろえて風車を作ろうとしてもそんなお金はないので、彼は近くの廃品置場からガラクタを集めてきて、とうとう自力で風力発電装置を作ってしまいました。本のタイトルの「風をつかまえた」はここからきています。

この出来事が評判を呼んだのです。少年が作った風車を取材するため、マラウイの主立《おもだ》ったメディアの記者たちが大挙《たいきょ》してやってきます。彼は「学校を中退した天才少年」として全国に紹介されました。さらに国の教育省からも認められて、彼は再び中等学校で学べるようになります。その後は南アフリカの高校を卒業してアメリカの名門校ダートマス大学に留学を果たしました。

少年の「勉強したい」という思いが実ったのは、近くの小学校に図書館があったからです。

ここからわかるのは、きっかけさえあれば、たとえ貧しくても、お金がなくても、勉強することはできるということです。

そういえば鈴木章先生も、最近は全国どこにでも図書館が作られていて、基礎的な勉強だったら図書館で本を借りて読めばいくらでもできる。しかもお金もかからないとおっしゃっていました。

日本では、親の年収が子どもの学力に影響するとして教育格差が問題になっています。実際にそれを示すデータもあります。しかし貧しいから勉強ができないんだと言ってしまうと、これはちょっと違います。大事なのは、勉強したいという本人の気持ちと、貧しくても利用できるような教育環境やきっかけを大人がきちんと用意することではないでしょうか。

学ぶことに遅いということは絶対にない

学ぶことの楽しさ、おもしろさに目覚めるのは早いほうがいいに決まっていますが、だからといって40代、50代や高齢者の人が「いまから学んでも遅いから」「いまさら勉強したって」とあきらめてしまう必要はありません。

学ぶことに遅いということは絶対にないと私は思うのです。

冒頭でもふれましたが、私の父は88歳を過ぎてから急激に体力が衰えて寝たきりになりました。ある日、「岩波書店から『広辞苑《こうじえん》』の新しい版が出た。買ってきてくれ」と言われました。寝たきりになっているのに、それでも『広辞苑』を読みたいというのです。これには圧倒される思いがしました。

書店で買って手渡しますと、あの重たい『広辞苑』を枕元に置いて少しずつ読んでいくではありませんか。「ああ、最後の最後まで学ぶ楽しさを知っていたんだなあ」と私は感動を覚えました。

父を思い出すたびに、私もこういう最期でありたいといつも思います。

NHK退職後、54歳からの学び直し

私はNHKを54歳で早期退職しました。退職の経緯については後述しますが、退職した後、54歳で改めて学び直そうと、いま、自分が学びたいもの、補いたいものは何かと考え、各大学で行っている社会人講座を調べました。多くの大学が社会人向け講座を開設しているのですね。結局、三つの大学がそれぞれ開設しているファイナンス理論、東南アジア情勢、外国為替《かわせ》の現場の社会人講座に登録しました。

三つの講座の中では、金利と国債価格の関係をエクセルを使って計算する方法など細かい学びもたくさんありました。しかし、私にとって一番大きな学びは、これまで独学で自分なりに理解してきたことに対して、学問的、理論的な裏付けができたことでした。これは大変な自信になりました。学問的に理解することで、各分野の仕事の意味を再認識できたのです。それは、ひいては私自身の働く意義、生きがいにも通ず

ると感じました。

もう一つ勉強になったことがあります。それは、ある講師の講義が非常に下手だったこと。「どうしてこの講義はこんなにつまらないんだろう」。こんなことを考えながら講義を受けていると、「うまく教えるとはどういうことか」に自《おの》ずとたどり着きました。反面教師として、大変良い学びになりました。もしあなたもつまらない講座を受ける羽目《はめ》になったら、こういう発想の転換はいかがですか。このように考えれば、受講料を無駄にしないで済みます。

それはともかく、大人になってからの勉強は、学生時代の延長の勉強では得られない気づきがたくさんあります。多くの学問は、社会にどう役立てるか、ビジネスにどううまく機能させるかを追求するものです。社会経験がないままで学問を続けても、机上の空論で終わってしまうことが多いものです。実際の現場を知って初めて、解決すべき課題や問題点が見えてきます。

近頃の海外取材では、外国の方からもビジネスカードをいただきます。これは、日本の名刺文化が世界に広まったものなんですね。そのビジネスカードを見ると「Dr.

（＝博士）」の学位を取得している人が実に多い。数で見てみると、博士号の取得者は人口100万人あたりアメリカは229人、日本125人です（2011年 文部科学省「諸外国の教育統計」より）。世界の中で、日本は低学歴のビジネス社会になっていることを、私たちは自覚する必要があるようです。

好奇心に突き動かされて北マケドニアへ

2019年11月、私はひとり北マケドニアへ行ってきました。テレビの取材でもなんでもなく、自分の好奇心に突き動かされて、身銭《みぜに》を切って一人で取材に向かいました。

北マケドニアというと、そんな国名あったっけ？　と思われる人も多いでしょう。それもそのはず。北マケドニアは、これまでは「マケドニア（国連加盟の名称は、マケドニア旧ユーゴスラビア共和国）」として知られていました。憲法上の国名はマケドニア共和国。

この国名に関しては、ギリシャとマケドニアの間で、実に30年にも及ぶ国名問題が続いていました。

「マケドニア」とはギリシャ古来の由緒《ゆいしょ》ある地名です。紀元前4世紀にギリシャ文明を東方へ広めたアレクサンドロス大王が生まれた古代マケドニア王国の王都が、現在のマケドニア地方です。ギリシャにとっては、それほど誇りと由緒ある地名を、隣国が「マケドニア」と称することは憤懣《ふんまん》やるかたない。また、「マケドニア」と名乗ることが、ギリシャ人にとって大事なマケドニア地方を所有したいという野心の表れでもあると、その使用を反対し続けてきたのです。

その国名問題が、２０１９年2月に解決しました。

解決の流れはこうです。北マケドニアのゾラン・ザエフ首相（当時）はＥＵ加盟を悲願としてきました。しかしＥＵ加盟に、国名問題が続いているギリシャが反対。ザエフ首相は、ＥＵ加盟のために、国民投票までしてマケドニアから北マケドニアへと国名を変えたのです。そこまでしたのに、２０１９年10月17日、18日のＥＵ首脳会議で、北マケドニアはＥＵ加盟交渉を棚上げされてしまいました。ＥＵは、イギリスの離脱問題で手いっぱいだからという理由です。ザエフ首相は、この責任をとって2020年1月に退任しました。

まさに今、揺れ動いている北マケドニア。私はジャーナリストとして、その空気を肌《はだ》で感じたいと、好奇心に突き動かされて北マケドニアに向かいました。

教科書の中の人物がここに生きている!

日本から北マケドニアの首都スコピエまでの直行便はありません。ウィーンで乗り継いで到着です。北マケドニアの街を歩いていると、大きな銅像に出くわしました。見ると「アレクサンドロス大王」と書いてあります。「おお! これが高校時代の山川の世界史教科書の年表に黒い太字で出ていたアレクサンドロス大王か!」と、一人感激しました。

学生時代、実は私は世界史が大嫌いでした。でも、将来、こんな邂逅《かいこう》があるならば、あの時、もっと勉強しておくべきだったと心底思いました。

世界史の勉強が生きた経験は、他にもあります。私は、これまで85の国と地域を取材してきました。中でも、旧ユーゴスラビアの7カ国はすべて踏破《とうは》したいと考えています。7カ国のうち、セルビアを訪れたときのことです。これもまた、街中である銅像に出合いました。見てみると「ガヴリロ・プリンツィプ」。なんと、第一次世界大戦勃発《ぼっぱつ》のきっかけとなった、サラエボ事件（1914年、ボスニアの州都サラエボを訪れていたオーストリアの帝位継承者夫妻を暗殺した事件）を引き起こした人物ではありませんか。

世界の多くは、サラエボ事件を起こした青年をテロリストとして認識しています。しかしセルビアにとっては、セルビア民族主義者の英雄だったのですね。街中の銅像がそのことを物語っていました。

これを知ったとき、私の脳裏に浮かんだのは、安重根《アンジュングン》でした。1909年に伊藤博文《いとうひろぶみ》を暗殺したことで知られる安重根は、日本ではテロリストですが、韓国では英雄とされています。ある人物の評価が、国によって異なる例が、ここにもあったのです。

高校時代は「なんで、こんな勉強するんだろう？」と思っていましたが、社会人になり、いろんなところへ取材へ行くなかで、思わぬ形で学んだ知識が甦《よみがえ》る。今すぐに役立つものではありませんが、いつか意外なところで役に立つかもしれません。頭の中にバラバラに点在している知識が、あるときつながって意味を持ってくる。そんなワクワクする体験を味わうことができるように、いまから学んで損をすることはないと、私自身の体験からも断言できます。

2章

どうして勉強しなくちゃいけないの？

――学校で学ぶということ

上から押しつけても勉強しない

勉強というと、どうしても上から押しつけて無理矢理やらせるというイメージがつきまといます。「勉強」という漢字は「強《し》いて勉《つと》める」ですから、「勉強しなさい」と言われると反発心が先に立って勉強したくなくなるのかもしれません。「学び」という言葉のほうがずっとスマートですが、どういうわけか「学びなさい」とはあまり言わないようですね。

実際には勉強も学びも意味は同じです。どちらにせよ、やはり上から押しつけてやらせるのはよくないやり方です。子どもは何か一つ、「あっ、これはおもしろいな」と思えるものをうまく見つけることができたら、放っておいても自発的に勉強を始めます。

この点は大学生も社会人も同じです。たとえばテレビ局の企画会議で、プロデューサーが上から「これをやれ！」と押しつけ気味に指示すると、言われたディレクターは、もちろん仕事だからやりますが、あまり気乗りがしないものです。ところが、自分で練った提案が会議で通ったときは、徹夜《てつや》してでも何をしてでも、とにかくいいものに仕上げようと全力で取り組みます。取り組む姿勢も熱意も全然違います。

要するに、子どもでも大人でも、ちょっとでも好きになれば、あるいは「これおもしろいな」と思えるものが一つでもあれば、あとは自分からやるのです。

大学で学ぶとはどういうことか

勉強に対する意欲の引き出し方は年齢とは関係ありません。子どもも大人も同じです。上からの押しつけが逆効果になることは、はっきりしています。おもしろければ自分から進んでやるし、つまらなければやらないか、やってもほどほどで終わってしまう。これが人間の習性です。

しかし、同じ勉強といっても、高校生までの勉強と大学生の勉強とでは、質的に大きな違いがあります。後で詳しくお話ししますが、高校までの学校教育と大学教育とでは、制度そのものが根本から異なるのです。高校までの授業がどちらかといえば受け身的なのに対し、大学の授業は頻繁にレポートを提出したり、ゼミに入って論文を書いたりと、より主体的な態度が求められます。そこで、そもそも大学で学ぶとはどういうことなのか、その点について考えてみましょう。

大学生になったということは、社会人になる一歩手前、社会の入り口に立ったということです。となると、必然的に世の中のさまざまな物の見方が変わってくるし、また変わってこなければならないのです。

衝撃的だった大津市の保育園児死傷事故

2019年5月、滋賀県大津市の県道交差点で、対向車線を走る軽乗用車と右折した乗用車が衝突し、その弾《はず》みで軽乗用車が歩道に突っ込んで保育園児2名が亡くなるという痛ましい出来事がありました。他の園児たちや保育士も重軽傷を負い、死傷者の数は16名に上りました。とても衝撃的な事故で、とりわけ保育園の園長の涙ながらの記者会見には心を揺さぶられました。

あのとき園児たちは安全なところにいたのでしょうか。グーグルマップには、園児たちが横断歩道のずっと手前のところで信号待ちをしている画像が写っていました。もちろん、グーグルマップの写真は事故が起きるよりずっと前に撮られたものですが、その画像から推測して、事故当日も園児たちはきちんと保育士の指導に従って、車道から離れたところに並んでいたと考えられます。それなのに、あの日、思いもよらず交通事故に巻き込まれ一瞬のうちに幼い命が奪われました。

園児たちの親は、みんな保育園に子どもを預けて働いています。職場で働いているさなかに、突然、保育園や警察から「おたくのお子さんが亡くなりました」という連絡がきたら、一体どんな思いがするだろうかと思うと、なんともやりきれない気持ちになります。また、同じように子どもを保育園に預けている全国の親たちは、「うちの子は大丈夫だろうか。保育園はちゃんと対策をとっているだろうか」と不安に駆られたに違いありません。

ここまでは、どんな人でも、ある程度の想像力さえあればわかることです。問題はここからです。では、こういう事故をどうやってなくせばいいのか。何か適当な方法はあるのでしょうか。

どうすれば事故を防ぐことができたのか？

「なぜ、あんないたいけな子どもたちの命を奪うような事故を起こしたのか。運転手は厳罰に処すべきだ」というのは、非常に即応的で短絡的《たんらくてき》な反応ですよね。一時の怒りに任せて運転手を厳しく処罰しても、事故の再発防止につながるとは思えません。そこから先、あのような事故を今後どうやって防げばいいのかということは、それこそ一人ひとりが自分の頭で考えるしかない問題です。

大津の事故の後、行政がやったことがあります。交差点で信号待ちをしているところに自動車が突っ込まないように、ポール型の車止めを設置しました。車止め程度ならそんなに費用はかかりません。

ガードレールまで作らなくてもいいのです。横断歩道があるので、ガードレールを作るとかえって人の行き来の邪魔になります。人が通れるようにして、しかし車が進入できないように2メートルぐらいの間隔で三つか四つの車止めを設置する。それをしておくだけであの事故は防ぐことができたはずです。

車止めを作っておけば、あの衝突した車が突っ込んできても、園児たちのところまでは行かなかったでしょう。園児たちは全員無事だったはずです。ちょっとした車止めがあるかないか。そのわずかな違いで、人の生死が左右されるのです。行政はなぜもっと早くそれを作らなかったのでしょうか。

実は、問題となった交差点では、過去に何度も交通事故が起きていました。県道のすぐ横（西側）は琵琶湖《びわこ》で、非常に見晴らしのいい、しかも直線の道路です。ドライブには快適かもしれませんが、むしろそういう場所では事故が起きやすいのです。実際、以前にも事故が起きていました。それなのになぜいま述べたような対策がとられなかったんだろうという、そういう疑問を持つことが大事になってきます。

単なる予算の問題だったのか、それとも放置すればこれからも事故が起きるだろうという想像力が欠けていたのか、あるいは抜本的《ばっぽんてき》な交通システムの改善についての配慮が足りなかったのか。考える余地はいくつもあります。

保育園はどうあるべきかという問題

さらに問題は、園児たちが通っていた保育園には園庭、つまり庭がありませんでした。庭がないので、子どもたちは毎日、保育士さんに連れられて散歩に出ていました。外に出て歩けばいい運動になります。道ばたの草花と触れ合うこともできれば、だんだん暖かくなってきたなとか今日は肌寒いとか、そういう四季の変化を体全体で感じることもできます。それはそれでとても大事なことですが、もし保育園に広々とした園庭があれば、少なくとも運動はそこで十分できたはずです。でも、その庭がなかったために、毎日のように園の外に出て散歩しなければなりませんでした。毎日散歩していれば、当然、交通事故にあう危険性は高まります。

東京の私の家のすぐ近くでも、保育園の子どもたちが、よく保育士さんに連れられて歩道を歩いています。そのすぐ脇を自動車がひっきりなしに走っています。「ああ、危ないなあ、怖《こわ》いなあ」といつもハラハラしながら見ています。

つまりここからは、保育園はどうあるべきかという保育行政や子育て支援の問題になってきます。

保育園は広い園庭がなくても設置できます。一方で、幼稚園はそういう園庭がなければ設置が認められません。幼稚園には広い庭があるけれども、少子化もあってそこに入る子どもの数は減る一方です。

その逆に、働く女性が増えているために保育園では待機児童がなかなか減らない。それならば、保育園と幼稚園が一緒になったらいいではないかということで、幼保一元化といわれる取り組みが始まりました。しかし、思うように進んでいない現実があります。

もし幼保一元化がうまくいっていて、園児が入っていない幼稚園を活用し、そこで保育園の子どもたちがのびのびと遊ぶことができていたら、こういう事故は起きなかったかもしれません。

一つの出来事から問題意識を深め、広い視点を持つ

一つの交通事故から、そうやっていろいろなことを考え、「日本の幼児教育の在り方はこれでいいのか」という、そこまで問題意識を深めていく。こういう力を身につけるのが大学での勉強、学びになるのだということです。

大きな事故があったときに、「ひどい。あんな幼い子どもたちを死なせてしまった運転手は許せない」で終わってはいけないのです。一歩進んで、一体どうすればいいのかということを考える。大学生の中には、将来、教育現場に行く人もいるでしょう。保育の現場に行く人もいるでしょう。あるいは行政に身を投じる人もいるかもしれません。どういう職業に就《つ》くにせよ、そういった問題意識やいろいろな問題を次々に分析する力を持てるようになれば、社会に出たとき、世の中をより良くするためにそれぞれの立場で貢献《こうけん》ができるはずです。

できるだけ広い視点を持ってほしいと思います。世の中で事件や事故が起きたとき

に、ただそれに反射的、感情的に反応するのではなくて、何が問題なんだろうか、どうすればそれを防ぐことができるんだろうかと冷静に考える。常に世の中の動きにアンテナを張っておいて、自分なりの物の見方を身につけていく。大学で学ぶことには、そういう意味があるのです。

改元で「令」の意味を誤解した海外メディア

もう一つ例を挙げましょう。私たち日本人にとって2019年の大きな出来事は、改元でした。元号が変わりました。この年に大学に入った人は、平成31年度入学であると同時に令和元年入学という、二つの元号を背負ったことになります。

5月1日から元号は令和になり、2019年は非常に不思議な年になりました。

令和と初めて聞いたとき、あなたはどんなイメージを抱きましたか？　このときイギリスの公共放送BBCは、インターネットでニュースの速報——もちろん英語です——を出して、これをorder and harmonyと訳しました。オーダーとしたのは、「令」

は命令の令、指令の令だと考えたからです。ＢＢＣ東京支局の記者は「令」をオーダー、命令の意味にとって、「和」はハーモニーだとして、令和をorder and harmonyと訳したのでしょう。

しかし、「令」は美しいという意味の令ですよね。たとえば、どこかの娘さんを指して「ご令嬢《れいじょう》」という言い方をします。相手の娘さんの顔を見たことがなくても、とりあえずの褒《ほ》め言葉としてご令嬢と言うことがあります。あるいは、奥さんのことを「ご令室《れいしつ》」と言います。最近はそういう言葉を知らない人が多くなりましたが、これは美しい奥さんという意味です。このように「令」には美しいという意味があります。

私は、政府が新元号を発表した日の4月1日、日本テレビ系の夕方の番組に出演して、「ＢＢＣはorder and harmonyと訳したけれども、ここはbeautiful harmonyと訳すべきではないでしょうか」とコメントしました。その2日後、河野太郎《こうのたろう》外務大臣（当時）が、海外向けにはbeautiful harmonyと訳して説明すると発表しました。

外務省が放送での私の発言を聞いてそう決めたとは考えられませんが、令という漢字にどんな意味があるかを知っていれば、これぐらいの翻訳《ほんやく》は誰でもできます。つまり、イギリスBBCの東京支局の記者は、英語はできても日本語の能力が十分ではなかったか、日本文化についての知識が足りなかったのではないか、ということです。

日本は1300年前から続く「言霊《ことだま》」の国

安倍晋三《あべしんぞう》総理大臣は新元号の発表に合わせて記者会見を行い、談話を発表しました。その中で、「令和」には「人々が美しく心を寄せ合う中で、文化が生まれ育つ、という意味が込められており」、「一人ひとりの日本人が、明日への希望とともに、それぞれの花を大きく咲かせることができる、そうした日本でありたい」という願いを込めたと述べていました。

新しい令和の時代は、一人ひとりがそれぞれの特徴を生かしながら、調和の中で自由に活動し、活躍できる社会にしたいというのです。

この談話を聞いていて、私は「なるほど、日本は言霊《ことだま》の国なんだな」と思ったものです。言霊とは古くからある考え方で、言霊信仰ともいいます。日本では、言葉には特別な力があり、言葉に出して言うとそれは超自然的な力を持つと信じられてきました。

今回の元号は、大宰府《だざいふ》で大伴旅人《おおとものたびと》が花見の宴を催し、みんなで梅の花を愛《め》でながら32首の歌を詠《よ》んだという『万葉集』巻五「梅花《うめのはな》の歌三十二首」の前文が出典です。漢文で書かれた前文に「初春令月、気淑風和」（初春の令月《れいげつ》にして、気淑《よ》く風和《やわら》ぎ）とあり、ここから令と和の字を取って令和としたのですね。

『万葉集』には約4500首というおびただしい数の歌が収録されていますが、その中には柿本人麻呂《かきのもとのひとまろ》の次の有名な歌も入っています。

しきしまのやまとの国は言霊《ことだま》のたすくる国ぞま幸《さき》くありこそ

これは柿本人麻呂が、知り合いが航海で海に出て行くときに「どうぞご無事で」と言って詠んだ歌です。「しきしまの」は「やまと」にかかる枕詞《まくらことば》なので「しきしまのやまとの国」とは日本のことです。この日本の国は言霊によって助けられている国である。「ま幸《さき》くありこそ」とあるのは、「どうぞご無事で」という意味です。
「日本という国は言霊によって、言葉の不思議な力によって助けられている国です。だからあえて言葉に出して言います。どうぞご無事で」

ただ無言で送るのではなくて、わざわざ言わなくてもわかっているかもしれないけれども、あえて「どうぞご無事で」と言葉に出して言う。するとそれが不思議な力を発揮してその人の安全を守ってくれる、というのです。

この柿本人麻呂の歌から、日本では1300年前からこういう考え方がずうっと続いてきたことがわかります。

国際化の時代だからこそ教養が試される

新元号の出典が『万葉集』だと公表されたとき、「『万葉集』の中にはそういえば有名な歌があったなあ」と気づいて、いま挙げたような歌を思い出すことができるかどうか。それができるかどうかで、いわゆる教養がどれだけあるかが試されることになります。

国際化、グローバル化の時代になっても、私たちが日本人である以上、やはり日本の国や文化についてそれ相応の知識を持っておかなくてはなりません。それがあるかないかで、人間の幅や世間からの評価も大きく違ってきます。

大学生になれば、これから海外へ行くことがあるでしょう。留学する人もいるでしょう。外国の人と親しく交わるようになれば、日本のことをどれだけ語れるかが問われるのです。

「日本には独自の元号というものがある。いまやそれは平成から令和になった」

「令和とはどういう意味なんだい？」

「order and harmony は誤解で、正しくは beautiful harmony だ」

「その言葉はどこからきたんだ？」

「約1300年前に、位の高い人もそうでない人も、庶民や農民から辺境の兵士まであらゆる人が歌を詠んでいて、その歌集からきている。8世紀、1300年前という非常に古い時代にそれだけの歌集を日本は作ることができた。いかに文化の豊かな国かわかるだろう」

こういうことを英語で説明できるかどうかですね。

忌《い》み言葉も言霊信仰から

さらに踏み込んで考えると、言霊信仰それ自体は日本の文化であり、決して悪いことではありません。ところが、この言霊信仰によって日本の社会では何かと問題も起きているのです。

あなたは結婚式の披露宴に出たことがあるかもしれません。披露宴で挨拶《あいさつ》をするときは、「きれる」「わかれる」「こわれる」などは間違っても口に出してはいけない不吉な言葉とされています。これが、いわゆる忌《い》み言葉です。

披露宴が終わるときも、司会は「これで披露宴を終わりにします」とは言いません。二人の仲が終わりになるかのような言い方だからというので、こういうときは「披露宴はここでお開きにいたします」と言います。「開く」は末広がりであり、めでたい言葉なのですね。意味は同じでも、あえてめでたい言葉を使います。これも言霊信仰です。忌み言葉は言霊信仰の産物なのです。

ここまでなら、日本はそういう文化だということで受け入れられます。

ところが、日本社会の中でこの忌み言葉がずうっと広がっていくと何が起きると思いますか。

たとえば、大学では多くの学生がサークル活動や文化祭など課外活動にも力を入れます。

仮に、あるサークルが何かの企画に取り組んだとして、みんなで準備に奔走《ほんそう》しているときに、誰かがぽろっと「これ、失敗しちゃったらどうするんですかね」と言ったらどうなるでしょうか。その人は「なんて不吉なことを言うんだ。そんな縁起《えんぎ》でもないこと言うのはやめろ」と非難されるでしょう。

あるいは、屋外で晴天を前提に準備を進めてきたのに、直前になって「雨が降ったらどうするんですか」などと言おうものなら、「なんと不吉な。めったなことを言うものじゃない」と言って袋だたきにあうかもしれません。当日、本当に雨が降って企画が中止になったら、「ほうら、お前があんな不吉なことを言ったから雨が降ったじゃないか」とみんなの怒りを買う恐れもあります。何か起きたらどうするんですかと当然の懸念《けねん》を示した人が犯人扱いされてしまうわけです。

文化祭やイベントに限らず、何かのプロジェクトを行えば、場合によっては失敗することもあります。その際に、「失敗したらどうするんですか」というしごく当然な疑問を投げかけると、「絶対成功させなければいけないのに、そんな不吉なことを言うな」と言われて袋だたきにあう。その人が懸念したとおり本当に失敗すると、「お前があんな不吉なことを言ったからだ」と言われてこれまた袋だたきにあう。これも言霊信仰からきています。

結果的に、みんなが言霊信仰に縛《しば》られてしまい、「考えたくないことは考えないようにしよう」ということにもなるのです。

言霊信仰も行き過ぎると、こういうことが起きます。その最悪の例が2011年の福島第一原子力発電所の事故でした。

言霊信仰のマイナス面が現れた福島原発事故

大きな地震が起きれば大きな津波がやって来ます。巨大津波が沿岸部を襲えば、波は防潮堤を乗り越えてくるかもしれない。防潮堤を乗り越えた波は、原子力発電所の地下にまで達することもあるかもしれない。

そういう可能性を考えないまま、東京電力は非常用電源を原子力発電所の地下に設置していました。

大地震が起きれば、停電は避けられません。停電すると、原子力発電所で高熱を発している原子炉を冷やすための電源は失われます。緊急事態の発生です。この緊急時に使うのが非常用電源なのに、よりによってその非常用電源を地下に設置していました。地震の直後、しばらくの間は自家発電装置が動いていましたが、結局、それは津波によって水没し、使えなくなってしまいました。

その結果、原子力発電所の原子炉が暴走して水素爆発が起こり、十数万人もの人たちが避難を余儀なくされました。いまなお福島県では、帰還困難ということで立ち入りできない場所が残っています。

「もし大きな地震が起きて津波が来たらどうするんですか？　津波が来て防潮堤を越えたらどうするんですか？　もしこんなことが起きたらどうするんですか？」と問題提起をしても、「そういう不吉なことは言うな」の一言で封じられてしまう。結果的に、考えたくないことは考えないという習性が、日本の文化として定着してしまいました。

そのせいで、思いもよらないことが起きると、すぐ「想定外」という言葉が出てきます。「想定外」と言うのは、そもそも考えようとしてこなかったからです。日ごろから最悪の事態を考えて行動していれば、想定外とは言わないでしょう。最悪のことを考えてこなかったから想定外の出来事になってしまうわけです。

そして何か不吉なことを言って袋だたきにあうくらいなら、言わないでおくのが一番とみんな思うはずです。「もし失敗したらどうするんですか」と言って本当に失敗したときに、「お前がそんなことを言ったからだ」と責められたり、袋だたきにされたりするくらいなら、人は口をつぐんで言わないものです。

こうして、言わないのが一番ということになります。一時的にはそれでよくても、やがてさまざまな問題が生じることになるのです。

言霊信仰は、日本社会では、こういった思いもよらないマイナスの働きもするんだということを是非知っておいてください。

ポジティブ思考で「プランBは？」と聞く

ついでに言うと、言霊信仰のもたらす弊害《へいがい》を避ける方法があります。アメリカには、こういうときに使ういい言葉があります。それがPlan Bです。

日本では「失敗したらどうするんですか」と非常にネガティブな言い方をしますが、アメリカではもっとポジティブな言い方をします。「プランBはどうなっていますか。プランBはあるんですか」と聞くのです。

alternativeな案があるかどうかということで、これは非常にポジティブな言い方です。いろいろな場面で役に立つ言い方なので、覚えておくとよいと思います。

会議などで「失敗したらどうするんですか」と言うと、「そんな不吉なことを」と嫌な顔をされますが、代わりに「プランBはあるんですか」と言えば、表現がポジティブなので相手も受け入れやすくなります。言霊信仰にとらわれることなく、「うん、そうだね。Bも考えておこうか」という反応になったり、もしかすると「念のためプランCも考えておこうか」と言い出すかもしれません。言い方をちょっと変えただけで結果はずいぶん違ってきます。

ネガティブな言い方をするのか、それともポジティブな言い方をするのか。そこには文化の違いが現れます。やはりそれぞれの国で文化が違う。文化が違うと、いま見たような場面でも、言い方が違ってくるんだということです。

大学の一般教養の課程でそれぞれの文化の特徴を学んでおくと、すぐには役に立たないかもしれませんが、将来、社会に出てからのさまざまなコミュニケーションの場で、思わぬかたちでその知識が生きてくることがあります。

大学生は、せっかく大学に入ったのですから、そういう発想や考え方、そしてそれを活用する力を身につけてほしいですね。

改元という歴史的な出来事を取り上げ、まず新元号の意味を考え、次に視点を変えて日本の言霊信仰について思索《しさく》をめぐらし、そのマイナス面も指摘しながら、さらにそれを克服する方法についても考えてきました。高校までの勉強では、なかなかここまではできません。でも、大学では、一つの出来事からいくらでも視野を広げ、思索を展開していくことができるのです。そこに大学での学びの楽しさや醍醐味《だいごみ》があるのではないでしょうか。

高校までは「生徒」、大学に入ったら「学生」

ここで強調しておきたいのは、大学で学んでいる人たちは、もはや生徒ではなく学生だということです。中には勘違《かんちが》いしている人もいて、大学に入ってもまだ「私たち生徒は」と言う人がいますが、とんでもないことです。

では、生徒と学生では何が違うのか。

小学生は「児童」です。まだ子どもであり、大人がちゃんと保護しなければいけない対象です。中学・高校は「生徒」と言うのがふさわしい。先生からさまざまなことを教わる立場なので生徒と呼んでいます。

というのも、小学校もそうですが、中学校や高校の教育は、文部科学省が定めた学習指導要領に基づいて行われます。教科書は、出版する教科書会社が違っても、どれも学習指導要領に沿って作られ、文部科学省が検定をして文部科学省検定済みの教科書として学校に届けられます。生徒たちが学ぶのはこの教科書です。

しかし、大学に入るともう文部科学省検定済みの教科書は影も形もありません。大学教育には、学習指導要領は存在しないからです。教育はそれぞれの大学の独自性に任されます。

講義で先生が指定した教科書を使うことはありますが、その教科書は文部科学省の検定とは無関係です。担当の先生が、これを使って講義を行おうと考えて、その先生の責任において選んでいます。大学生はそれを使って勉強します。

これに対し高校までは、誰が見てもこれは間違いないという内容を教わるのです。どの科目も、教科書は学問の世界でこれだけは間違いないとされていることを精選して載せています。試験対策では、教科書に書いてあることをそのとおり信じて勉強すればよく、いちいち「ここに書いてあることは本当だろうか」と疑う人はいませんね。教科書を使って一生懸命勉強し、暗記してもいいし、その教科書についての先生の説明をそのまましっかり聞いて、ノートをとって理解すればいい。これで何の問題もありません。こうした理由から高校までは「生徒」と呼ぶわけです。

学生とは、自ら学ぶ生き方をする人間

大学教育はこれとはまったく違います。大学における「学生」とは、自ら学んでいく生き方をする人間のことです。

学生は、文部科学省検定済みの教科書ではなく、検定されていない教科書を使います。検定されていないとは何を意味するかわかりますか。

講義で使われるさまざまなテキストには、どれも著者がいます。特定の著者の考え方に基づいてテキストは書かれています。その内容が、関係する学界の主流の考えに

沿っているかどうか、実はわかりません。学界の主流ではなく、反主流の先生の本という可能性もあります。学界の中で少数派の先生の主張が書かれた本かもしれないということです。

ところが、いずれ何十年かたったとき、それが全体の主流になることがあります。「あっ、あの先生の言ってることでよかったんだ」ということになるかもしれない。逆に、当時は主流だったけれども、次第に学者たちから支持されなくなって、後になってから「間違いだった」「いまでは通用しない」といったことになることも起こりえます。

大学とはそういうところです。授業で習うことがすべて正しいと思い込んだら大間違いです。一生懸命勉強したのに実は間違いでしたということが、後から起きるかもしれない。あのとき勉強したことは一体なんだったのかということになりますね。

大学で学ぶときは、このスリルとサスペンスがたまらなく楽しいのです。

「すべてを疑え」と語っていたゼミの先生

習ったことが全部本当だというそれまでの常識が通用しなくなる世界、それが大学です。

もっと言えば、世の中に出たら、誰もが認める正しいことというのは、なかなかないものです。みんな意見が違います。世の中に出ている本も、本当かどうかよくわからないものがたくさんあります。一つの問題をめぐって正反対の意見が激突したり、多くの国民が関心を持つ問題では、それこそ世論が真っ二つに割れることだってあります。

学生は、卒業後はそういう社会に出て行って、いずれさまざまな分野でそうした問題に立ち向かうことになります。それは決して簡単なことではないので、いきなりやれと言われても難しい。準備段階としてその力を身につけるところが大学です。こう考えると、大学時代は社会に出る前の貴重な4年間。特に大切に過ごしてほしいと思います。

大学の講義で使われるさまざまなテキストを頭から信用するのではなく、「この人はこう主張している。だけど本当だろうか？」と疑問を持ってそれにあたる。これが実はとても大事なことで、そうやって自分の頭で考えてその人の説が正しいかどうかをよく検討してみる。これが学ぶということです。だからこそ大学で学ぶ人は学生なのです。

私が大学生のときのゼミナールの先生の言葉でいまでも覚えている言葉があります。私は当時、経済学部で経済学を勉強していました。その先生は「すべてを疑え」と言っていました。有名な経済学者たちがいろいろな本を出しています。でも、そこに書かれている内容が本当かどうか疑ってかかれというのです。

とりわけ経済学は学者や学派によって学説がまったく違い、それぞれの立場に立って本が書かれています。おおざっぱに言うと、マルクス経済学と近代経済学は水と油ほどの違いがあり、近代経済学の中でもケインズ派と新古典派では考え方が違います。ということは、主張していることがみんな違うわけで、一つ一つの内容が絶対に正しいとは言えないわけです。

そこで、まずは疑ってかかりなさいとその先生は言われました。この「すべてを疑え」ということが、大学の学問においてとても大事なことではないかと思うのです。

もっとも私はその先生の言葉を疑うことはなかったのですが。

「主体的で深い学び」を模索する小・中・高校

高校までの教育と大学教育との違いを見てきました。一つ注意しておきたいのは、高校までの教育も最近は変わりつつあることです。文部科学省はいま、「主体的・対話的で深い学び」という言い方をしています。

なぜそうなったのか。国際化が急速に進むなかで、海外に行ったときに外国の人たちと討論すると、彼らは積極的に発言して自分たちに有利に議論を進め、日本の側が言い負かされてしまうことがよくあります。これは、日本の教育が小学校から中学、高校まで、ひたすら先生の言うことを聞いて板書《ばんしょ》を写して終わりという受け身一辺倒だったからではないか、という反省が出てきたからです。

そうではなくて、自分の頭で考え、進んで発言できるような力をつける必要がある、「自ら学び、自ら考える」教育に転換すべきだということで、文部科学省が音頭《おんど》を取って進めてきました。

ただ、とても大事なことですが、残念ながらいま教えている先生方は、そもそもそういう教育を受けていないのです。小学校、中学校、高校とひたすら先生の言うことを聞き、板書を写していい成績を取ってというやり方で勉強してきたのに、突然、生徒たちに討論させ、発言させて、自分たちで答えを見つけるような教育をやりなさいと言われても、限界があります。先生自身が「自ら学び、自ら考える」ということをやってこなかったか、もしくはそういう経験があまりないまま現場に立っているので、なかなかうまくいかないわけです。

いまはまさに端境期《はざかいき》にあります。主体的な学びといっても、学習指導要領の枠がはめられていることに変わりはなく、大学教育と質的に異なることはこれまでと同じです。それでも、学校教育はいま、受け身一辺倒から「自ら学び、自ら考える」力をつけさせる方向に変わろうとしています。

このようなときに、残念なことですが、これまでのベテラン教員の経験が生きないところも出てきます。ベテランにはベテランの味があるものですが、彼らは新しい方針を前に戸惑い、どう教えていいのかわからず、悩みながら試行錯誤《しこうさくご》しているように見えます。

これから教員を目指す人は、現場の先生たちも悩んでいるのだから、自分たちも悩みながらそれをどうすればいいのか考え、教育実習などで実際にやってみることです。そうやって自ら指導法を見いだしていくことが求められています。

学校教育は「ゆとり」と「詰め込み」の繰り返し

振り返ってみると、日本の教育の歴史は、「いまのやり方はダメだ。だから変えよう」の繰り返しでした。

終戦直後は、日本を占領したGHQ（連合国軍総司令部）の方針もあって、詰め込み式ではなくアメリカ流の自由にものを考えさせる教育が行われました。戦後の教育はそこから始まったのですが、次第に「これでは知識が足りないではないか」という批判が強まり、私が中学・高校生の頃（1960年代）は猛烈な「詰め込み教育」の時代でした。

しかし、詰め込み式でやっていくうちに、授業についていけない「落ちこぼれ」が増え、大きな社会問題となります。これでは弊害が多いということで「ゆとり教育」に舵《かじ》を切ったのが1977年です。

この方針がさらに徹底されて、2002年には教育内容の3割削減と学校週5日制が完全実施されました。昔は公立学校でも土曜日は午前中に授業をしていましたが、ゆとり教育が始まってから月に1回休みにする、月に2回休みにする、とだんだん休みを増やしていき、2002年には土曜授業は原則としてなくなりました。

ところが、ゆとり教育が浸透するにつれて、今度は「学力が低下する」という批判が沸《わ》き起こってきました。これを受けて文部科学省は、2008年の学習指導要領の改訂で「脱ゆとり教育」へと方向転換しました。実際には、ゆとり教育で学力が下がったという明確な証拠はないのですが……。

このときの改訂で授業時間数を増やすとともに小学校5、6年生で英語の授業を必修化し、学校が希望すれば土曜授業もできるようにしました。詰め込み式への逆戻りです。

このように、日本の教育は「ゆとり教育」と「詰め込み教育」の間を行ったり来たりしてきました。

リベラルアーツとは何か

大学に話を戻すと、いま日本で非常に注目されているのが「リベラルアーツ」と呼ばれる教育です。

戦後、全国の国立大学の教育学部は、学芸学部という名称でした。この学芸学部の「学芸」とは「リベラルアーツ」を日本語に訳した言葉です。

リベラルアーツは、戦後、アメリカなどから入ってきた考え方です。日本ではそれまで、学校の先生の養成は師範《しはん》学校で行われていました。師範学校は男性と女性に分かれていて、ひたすら教える技術だけを叩き込むという、ある種の職人を養成するような学校でした。その結果、日本は非常に視野の狭い先生、そして子どもたちを生み出したのではないかという反省から、学校の先生を養成する大学でこそリベラルアーツが大切だと考えられるようになり、それを学芸学部と呼んで全国各地に設立しました。

ところが、やがて教育界の保守化が進みます。「先生の養成は、やはり師範学校のように技術を教えるのが望ましい。なまじ教養など身につけると左傾化する」などという時代錯誤の主張が強まり、全国の国立の学芸大学は教育大学となり、学芸学部も教育学部と名を変えました。

ただし、東京学芸大学は、学部名は教育学部になりましたが、大学名には学芸の言葉が残りました。それは、すでに東京教育大学という国立大学が存在したからです。こちらは、筑波(現・茨城県つくば市)に移転して全面改組、現在の筑波大学に変身しました。

せっかくリベラルアーツを重視する教育として始まったのに、いまでは一部の私立大学に学芸学部の名称が残るだけになりました。それが、いまになって再びリベラルアーツが見直されているのです。

日本が戦後お手本にしたアメリカの大学はそのほとんどがリベラルアーツの大学なのです。

ハーバード大学、ウェルズリー大学の視察で知ったこと

アメリカ北東部のマサチューセッツ州ボストン近郊には、ハーバード大学という世界でもトップクラスの大学があります。ハーバード大学では1年目から専門的な学問を徹底して教えていると思っている人がいるかもしれませんが、まったく違います。4年間、リベラルアーツを学ぶのです。

ハーバードで学んだ後、たとえば医師になりたい人は、そこからメディカルスクールに行き、経営学を勉強したい人はビジネススクールに行くというように、卒業後に

大学院で専門的な勉強をするのです。学部時代は、まずはリベラルアーツを学びなさいというやり方をとっています。

同じマサチューセッツ州の、ハーバード大学からは少し離れたところにウェルズリー大学という女子大学があります。アメリカでもトップクラスのレベルの高い女子大学で、ヒラリー・クリントン（元国務長官）が学んだ大学としても知られています。

私は数年前、この大学を視察に行きました。東京工業大学のリベラルアーツはどうすべきかということを学ぶために同僚の先生たちと見に行ったのです。

驚いたのは、ここではすぐに役に立つことは教えないというのです。たとえば経済学は教えるけれども、経営学は教えないと言います。どういうことでしょうか。

大学側の説明によると、人間の心理や人間性をわかっていなければ経済活動は分析できない。人間を理解するという点で経済学は必要だから学ぶべきだ。でも、経営学は企業をどうやって経営するか、あるいはどうやって金儲《かねもう》けをするかという話が中心だから、そういうことは大学で学ぶ必要はない。ビジネススクールに行ってから学べばいい。だから経営学は必要ない、という理屈です。

そもそも経営学は、その時々で最新の経営理論が出てきて、教える内容が頻繁に、しかも大きく変わります。大学で一生懸命時間をかけて経営学を学んでも、世の中に出たときには、もうすっかりそれは役に立たなくなっているかもしれない。それでは意味がないので、大学ではすぐに役に立つようなことは教えない。すぐに役に立つ実用的なことを知りたければビジネススクールに行ってください。そこでは常に最新の経営学の理論を教えているから、本人の希望するとおりすぐに役に立つだろう。こう考えているのです。あまりの徹底ぶりに驚いてしまいました。

ＭＩＴは「すぐに役に立つことは教えない」

マサチューセッツ工科大学（略称はＭＩＴ）という全米トップの理系の大学があります。ハーバード大学のすぐ近くにあります。そこを視察したときは、当然、最先端のＩＴやコンピューター、電子工学などを教えているんだろうと思って訪ねていきました。ところが、ここもいい意味で期待外れでした。ＭＩＴではそこに重きを置いていないというのです。すぐに役に立つことは教えないという教育方針は、ウェルズリー大学と同じでした。

近年、最先端の科学技術はだいたい3年から4年で陳腐化《ちんぷか》します。陳腐化するとは、要するに役に立たなくなるということ。最先端の技術は日々進化しているので、4年しかない大学の課程でそんなことを教えていたら、大学を出て数年でもう役に立たなくなってしまう。だからそんなことは教えない。4年間あるいは6年間の大学教育の目標は、その最先端の技術を自らの力で作り出していく能力を身につけさせることだ、と言うのです。いまはこうなっていますということを学ぶのではなくて、自分の頭で考えて最先端の科学技術を自分の力で作り出せるようにする。MITはそういう人間を育成するための学びの場だというのです。「ああ、これがリベラルアーツというものなのか」と思ったのです。

MITのキャンパスに行くと、いかにも理系の学生という人たちが大勢いますが、驚いたのは音楽教室が充実していることです。ピアノのある音楽教室がずらりと並んでいて、一体いくつあるのかと思うほどたくさんありました。そこで各種の音楽教育を実施しています。

理系の数学と音楽は非常に親和性《しんわせい》が高いそうです。数学ができる学生は音楽も秀《ひい》でている。反対に、音楽がよくできる学生は数学や理数系に強い。そういう関係があると言っていました。

なるほどと思うとともに、ビックリしましたね。「数学と音楽は、実は親和性が高い」という話は、私には目から鱗《うろこ》でした。

東京工業大学に行くと、キャンパスに無造作《むぞうさ》にピアノが置いてあって、学生がそこで自由にピアノを弾いている姿を見かけます。考えてみると、私の教え子にもバイオリンのひときわ上手な女性がいました。音楽に強いという学生が結構います。数学と音楽が非常に親和性が高いというのは、確かにそうなんだろうと思います。楽曲は論理的に組み立てられているところがあり、音楽を学べばそれが数学の学びにも影響を与え、それは将来思わぬところで役に立つに違いありません。

一見遠回りのように見えて、長い目で見るといつか役に立つ。リベラルアーツとはそういうものだということをＭＩＴで学ぶことができました。

スティーブ・ジョブズの生き方は「学び」の見本

大学で何の役に立つのかわからないで学んでいたことが、後になって花開くというのはよくあることです。

身近なところでは、あなたもアップルの製品をいくつも使っているのではありませんか。パソコンのMacintoshをはじめ、iPodにiPad、そして何といってもiPhoneは高い人気を誇っています。アップルの製品はおしゃれですよね。あのなめらかなデザインには、誰もが引きつけられます。これはアップルを創業したスティーブ・ジョブズのセンスが抜群《ばつぐん》だったからです。

スティーブ・ジョブズは2011年に56歳で亡くなりましたが、大学は中退しています。アメリカ北西部のオレゴン州にあるリード大学という、日本ではあまり知られていない大学に入り、そこで「カリグラフィー」というアルファベットをどのようにデザインするかという学問――日本でいうと書道に少し近いかもしれません――に興味を覚えます。

大学を中退したのにそのカリグラフィーの授業だけはこっそり出ていたそうです。それが何の役に立つかなんて考えたこともなかった、ただおもしろいと思ったから授業に出ていた、と本人が言っています。

ところが、その彼が、のちにいわゆるアップル・コンピューターを作り出します。初期のアップル製コンピューターもビックリするほどおしゃれなデザインでした。次々にユニークなデザインの製品を出してきて世界中の人たちを驚かせました。

スティーブ・ジョブズは、アップル製品のデザインには、かつてカリグラフィーで学んだことが生きていると言っています。彼がカリグラフィーを学んでいる当時は、それを学んでおけば将来、コンピューターの魅力的なデザインができるとはこれっぽっちも考えていませんでした。なぜなら、そのときはまだコンピューターを作るというアイデアすらなかったからです。

けれども、アップルのiPodにしてもiPadにしてもiPhoneにしても、あれだけの優《すぐ》れたデザインは、そもそもスティーブ・ジョブズが「おもしろいと思ったから」というだけで学んでいたことが、ずっと後になって花開いたわけです。

すぐに役に立つことばかり考えるのではなく、いまおもしろいこと、知りたいことを一生懸命学ぶ。それがいつか必ず、何らかのかたちで生きてきます。それこそが大学で学ぶことの意義だと思うのです。

すぐに役に立つことを大学でまったく学ばないというわけではありません。すぐに役に立つこともそれなりに学ぶでしょう。でも、それだけなら専門学校でいいはずです。専門学校に行けば、就職してすぐに役に立つことをみっちり教えてくれます。専門学校ではなく、わざわざ大学に行くという選択をした人は、なぜそういう道を選んだのでしょうか。専門学校に行くよりも、ある意味では効率の悪いことをしているとも言えます。すぐに役に立たないことも学ぶのですから。

しかし、たとえ効率が悪くても、一人ひとりがどのような生き方をするのかという、生き方について考えるところが大学です。急がば回れで10年後、20年後に才能が花開くような基礎をそこで身につけてほしい。そのために大学が存在しているのだということを覚えておいてください。

大学ではすぐに役に立つこともたくさん学べますが、それだけやっていればいいと考えるのは、見当違いも甚《はなは》だしいと思います。

3章 失敗・挫折から学ぶ

――こうして「池上彰」ができあがった

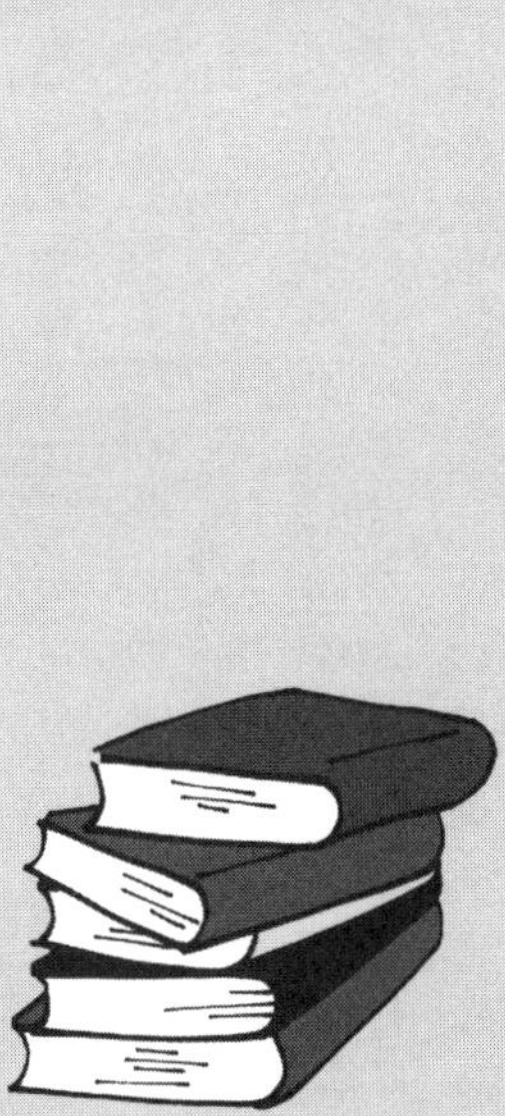

なるべく早いうちに挫折《ざせつ》を経験しておく

人間は若いときに挫折《ざせつ》を経験しないで順風満帆《まんぱん》の生活を続け、相当な年齢になってから突然挫折すると、心がポッキリ折れてしまうことがあります。ショックの余り立ち直ることができず、中には仕事を辞める人もいれば、心を病んでしまう人もいます。

挫折をどう受け止めるかは、その人なりの事情もあるので他人が簡単に口をはさめることではありません。しかしできれば、たとえ挫折したとしても、「これで終わりだ」などとは思わないで、それを乗り越えていく強い心を持ってほしいと思います。

そういう意味で、なるべく早いうちに挫折を経験しておいたほうが長い人生においてはプラスになります。

前章で「すべてを疑え」という私の大学時代の先生の言葉を紹介しました。しかし、これはあくまで学問の世界の話です。勘違いする人はいないと思いますが（いるかもしれないので念のため言っておきます）、「すべてを疑え」とは、何もあらゆることを疑えと言っているわけではなく、学問や学ぶことにおいて、そうした態度をとれという意味です。日常生活ですべてを疑っていたら大切な友達を失いますよね。友情や愛情ですべてを疑うと、友達も失い、恋人も失う羽目に陥《おちい》り、不幸になるだけです。そんなことにならないように、友情や愛情、そして人間を信じましょう。

信じた結果、場合によっては裏切られることもあるかもしれません。現実に、そういうことはよくあります。信じた人に裏切られるのは衝撃的な体験ですが、ものは考えようで、それを通して人間は成長し、精神的に強くなれるのです。

幸いにも、大学生でいる間はいくら挫折しても許されます。何をする気にもなれずに授業を休んだとしても、よほどのことがなければ退学させられることはないでしょう。世の中に出てから挫折すると、これはなかなかつらいものがありますが、大学生である限りは挫折しようと失敗しようと周囲から大目に見てもらえます。大学とはそういう守られた世界でもあります。

お互い同じ人間です。友達を信用し、恋人を信用しましょう。そして裏切られたら、自分は人間として成長できるんだとポジティブに考えましょう。

自動車免許の学科試験に落ちた

私もまた、今日に至るまでたくさんの挫折と失敗を繰り返してきました。その一つ一つを成長の糧《かて》としてきたことでいまの自分があると思っています。

私が大学に入学したのは1969年です。東京大学では68年から69年にかけて、大学による学生処分の撤回を求めて学生たちが学内の大講堂である安田講堂を占拠。69年度の東京大学の全学部の入試が中止されました。

また東京教育大学も筑波への移転・改組に反対する学生たちが長期にわたるストライキに入り、唯一ストをしていなかった体育学部を除く入試が中止されたほどです。

二つの国立大学の入試が突然中止になったのですから、受験戦線は大混乱。多くの受験生が被害を被りました。自分たちに何の責任がなくても大きな被害を受けるという不条理を身をもって経験しました。

大学に入ってからは、いわゆる70年安保闘争や学園闘争のピークでした。私が入学した大学も、すぐに全学ストライキに入ります。学生たちが教室から机や椅子を持ち出して入り口を封鎖。教職員が出入りできないようにして、学生たちの自主管理が始まります。これをバリケードストライキと呼びました。

大学に入っても、そもそも授業らしい授業がないのですから仕方ありません。クラスメートと一緒に読書会をしたり、独学で経済学の専門書に取り組んだりしました。結局、このときの経験で、独学で学ぶ方法を身につけたと思います。

自分にとって客観的にはマイナスになったことでも、考え方次第でプラスに転換できる。そんな楽観的な発想は、このときから始まっているのかもしれません。

記者になりたいと思っていた私は、大学卒業後、NHKに入社しました。2カ月の新人研修を終えた後、NHK松江放送局に配属されました。

電車やバスなど公共交通ネットワークが発達している東京や大阪などと違って、地方での移動手段は主に自動車です。当然、自動車免許が必要になりますが、そこで最初の失敗をやらかしてしまいました。免許を取るには実技試験と学科試験の両方に合格しなければなりません。実技試験は大学生のときに自動車学校に通ってパスしていたものの、学科試験がまだでした。

この学科試験がくせ者で、悪文の見本のような試験問題の文章に翻弄《ほんろう》されて、試験に落ちてしまったのです。「この問題文は意味がよくわからない。何を言いたいのだろうか」「この文章では何通りにも解釈できる。どの解釈で答えを書けばいいんだろう」などと戸惑いながら解いていたのがよくなかったようです。

まさかと思ってガックリきました。多くの知り合いに嘲笑《ちょうしょう》されました。運転ができないと取材に支障をきたします。焦りましたが、二度目の挑戦では悪文には目をつぶり、出題者が望んでいるであろう答えを忖度《そんたく》して書くという作戦でなんとか合格しました。

情報源を危険にさらし、自己嫌悪に陥る

私の記者生活は警察担当から始まりました。これはＮＨＫだけでなく新聞社も同じで、新人記者は警察担当を命じられるのが普通です。なぜかというと、世の中で起き

た事件や事故、災害などは、不審な出来事や小さな異変も含めてまず警察に通報されることが多いからです。

毎日警察に足を運んでいると、普通の暮らしをしている人には知りえない世の中の裏を嫌でも見せつけられます。いまでこそ夫婦間の暴力はDV（ドメスティック・バイオレンス）として殺人や傷害《しょうがい》につながりかねない大きな問題とされていますが、私の頃はまだDVという概念《がいねん》がなく、夫婦ゲンカで110番通報する人がいることに驚かされたものです。新人記者に警察を担当させるのは、こういう世の中の裏の世界を教えるという意味もありました。

またニュースは速報性が命ですから、記者はたえず警察に張り付いて情報収集していなければなりません。事件・事故に昼夜の区別はなく、警察署も24時間体制をとっているので、記者はろくに休む暇《ひま》がないのです。おまけに他社との競争もあります。他社が報道しているのに、NHKが報道していない、なんていうことになったら記者も会社も面目《めんぼく》丸つぶれです。そんなことは絶対にあってはならないことです。そのため、それこそ寝る間も惜しんで働く、若くて体力のある記者でないと警察取材は務まらないのです。

まだ20代だった松江放送局時代の失敗には、こんなことがありました。

毎日、松江警察署と島根県警察本部に〝出勤〟して、捜査員と仲良くなったり話を聞いたりしているうちに、私にだけ独自の情報をくれる人が出てきました。捜査員は一様に口が堅く、公式発表以外のことはなかなか話してくれないものです。しかし、いったん記者との間に信頼関係ができると、一足早く情報を教えてくれたり、裏の世界を知り尽くした人を紹介してくれたりと、さまざまな便宜《べんぎ》を図ってくれます。中には、苦労して証拠固めをしたのに上司が取り合ってくれないから、おたくで報道してほしいと言って情報をくれる捜査員もいました。

ある日、松江警察署のトイレである捜査員と隣り合わせになったら、「さっき県警に寄ったら、白骨が発見されたといって捜査一課が大騒ぎしていたよ」とこっそり耳打ちされました。してやったりと思って早速、県警本部の捜査一課に確認に行きました。

結果的に、この件は事件性がなく、記事にはできませんでしたが、私は松江警察署に戻ったとき、耳打ちしてくれた捜査員のいる刑事課の部屋に行き、「先ほどはありがとうございました」と周囲にも聞こえる声でお礼を言ったのです。

自分としては、他の誰でもなく、この自分に情報をくれたことへの感謝のつもりだったのですが、これが大失敗でした。

後日、くだんの捜査員に別の場所に呼び出され、「大勢いる場所であんなことを言ったら、俺が情報を教えてやったことがみんなにわかってしまうじゃないか」とこっぴどく叱《しか》られてしまいました。

記者は関係者に取材するとき、情報源の秘匿《ひとく》にはとりわけ注意を払います。情報提供者の身元を明らかにしてしまうと、その人に迷惑がかかることがあるからです。これは記者たる者のイロハに属することなのに、自分が信頼されていることがうれしくて、ついこのイロハを忘れてしまったのです。情報提供者には、権力機構の一員である捜査員も含まれていたのでした。

彼の署内での立場を悪くしてしまったのではないかと自己嫌悪でしばらく落ち込んでいました。

日銀松江支店長インタビュー始末記

2年間の警察担当の後、今度は松江市役所の担当に異動しました。そこで経済ニュースも担当になり、日銀松江支店も取材範囲に入りました。そこで命じられたのが、朝のローカル番組の枠で「日銀松江支店長に聞く」という企画をすることでした。スタジオに支店長を呼び、入局3年目の若造が山陰の経済について聞くという番組です。

ところが、収録前の打ち合わせの際、支店長から「『今後、山陰の景気の見通しはどうですか？』などというバカな質問はしないでください」と釘《くぎ》を刺されたのです。これには絶句するしかありませんでした。視聴者が一番知りたい景気の見通しについて、聞いてくれるなと言うのですから。

当時まだ20代半ばと若かった私は、「それでは視聴者のニーズに応えられないので、考え直していただけませんか」とは言えませんでした。

おかげで、山陰の経済状況を把握するための統計指標の読み方を指南してもらうという、教養番組のような内容になってしまいました。聞きたいことを単刀直入に聞けなかったので、そうするしかなかったのです。

番組の趣旨をもっと上手に伝えておけば支店長ももう少し踏み込んで話してくれたのではないか、あるいは自分がもっといい質問をしてうまく話を引き出していれば、リアルタイムの経済番組らしくなったのではないか。そんな悔いの残る体験でした。

ロッキード事件で連日続けた真夏の張り込み

大きな事件が起きると、地方局の記者が応援に駆り出されることがあります。通常の取材体制では人手が足りなくなるからです。私も松江放送局時代にこれを経験しました。1976年にロッキード事件が起きたのです。日本の政界、財界が一度にひっくり返るような大事件でした。

ロッキード社は、軍用機や旅客機を製造していたアメリカの航空機メーカーです。現在は他の会社と合併してロッキード・マーティン社になっています。ロッキード・

マーティンはレーダーに映りにくい最新鋭のステルス戦闘機、F-35を製造していることで有名ですね。

この事件は、ロッキード社が日本の全日空に「トライスター」という大型ジェット旅客機を売り込もうとして、同社に影響力を行使してもらうため、有力な政治家や政府高官にお金をばらまいた事件です。ロッキード社の販売代理店だった丸紅や右翼の大物らも関与していました。

もっとも、事件が発覚したのは、ロッキード社幹部によるアメリカ議会の公聴会での証言がきっかけでした。その証言が本当かどうかは日本での捜査結果を待たなくてはなりません。

捜査に当たったのは東京地検特捜部と警視庁です。ところが、当時は東京地検特捜部が動くような大きな事件がなく、メディアの記者たちは特捜部の中に有力な人脈や情報源を持っていませんでした。各新聞社・放送局は捜査当局に食い込んで情報を取るというやり方ができず、代わりに東京地検前や怪しいとにらんだ人物の家を見張って捜査の動きを知ろうとしました。そのため大勢の記者が動員されました。一種の人海作戦です。

私は夏真っ盛りの7月、毎日、朝から晩まで疑わしい政治家や関係者の自宅前で張り込みを続けました。その日どこで張り込みをするかは、前日に上司から指示されます。田中角栄《たなかかくえい》前首相（当時）がロッキード社から5億円を受け取った疑いで東京地検に出頭したのが7月27日の朝。私が東京地検の前で張り込んでいたのは、その前日の夜でした。惜しいことに出頭当日の朝は、別の関係者の自宅前にいました。

逮捕がもう1日早かったら、田中前首相が東京地検前に姿を見せる歴史的瞬間に立ち会えたのにと、とても悔しかったことを覚えています。

地団駄《じだんだ》を踏む思いをした「刎頸《ふんけい》の友」

前首相が東京地検に出頭したというニュース速報が出るとすぐ、私は上司の指示で小佐野賢治《おさのけんじ》邸に向かいました。国際興業社主の小佐野氏は「政商」として知られ、田中前首相と親しい人物です。のちに国会で証言して「記憶にございません」を連発し、世間のひんしゅくを買うことになります。

小佐野邸の門は固く閉まっていたので、私はインターホンを押して取材を申し込みました。すると「小佐野は、今朝から体調を崩し、伏せっております」という返事でした。「今朝から」という言葉でピンときました。田中前首相が出頭したその日の朝から急に体調を崩すなんて出来すぎた話です。すぐにこのコメントを入れた原稿を作って社会部に送りました。

正午のＮＨＫニュースでは、田中前首相の出頭が報じられた後、私が書いた小佐野氏に関する原稿も読み上げられました。ところが、ニュースを聞きながら「あれっ」と思いました。読まれた文章の中に、私が書いた覚えのない言葉が入っていたのです。アナウンサーは「田中前首相の刎頸《ふんけい》の友と言われる小佐野氏は……」と言っていました。

「その友人のためなら、たとえ、くびを斬られても後悔しないほどの真実の交友。生死を共にする親しい交際」（広辞苑）のことを「刎頸の交わり」と言います。

なるほど、確かに二人は親密な間柄で知られる「刎頸の友」でした。

私の書いた原稿には隙《すき》がありました。田中前首相と小佐野氏はどういう関係なのか。その点が明確でなかったのです。「刎頸の友」は、それに気づいた社会部のデスクが書き足した言葉です。私は「本当は自分がこの表現を使わなければいけなかったのに、書き忘れてしまった！」と、これまた悔しくてならず、地団駄を踏む思いでした。

「警視庁」がなぜか「錦糸町」に

私はもともと地方記者を志望していたので、松江放送局の次は「山陽側の通信部に行きたい」という希望を出しました。通信部というのは、県庁所在地に存在する放送局ではなく、そこから離れた県内の主要都市に住んで24時間、365日、その周辺の地域を担当して取材する仕事です。あまりに過酷《かこく》だということで、現在は「働き方改革」で、住み込みではなくなりましたが。

松江時代にロッキード事件で応援取材に駆り出されたのが契機となって、いずれは東京の社会部でもっと大きな仕事をしてみたいと思うようになりました。その結果、東京の報道局社会部に転勤することになったのは、30歳を目前に控えた1979年8月でした。通信部という過酷な仕事をあえて希望したことも、人事部からは評価されたようでした。

社会部での仕事は、いわゆる「サツまわり」が主でした。東京都は人口1000万人の巨大都市です。警視庁も当時は都内を八つに分けて、各地域を「一方面」「二方面」……「八方面」と名付け、そこにそれぞれの「方面本部」を置いていました。地方の県警本部なみの体制です。なお現在は10の方面に分かれています。

私は「三方面」の目黒区、渋谷区、世田谷区の担当となり、その中でも一番大きい渋谷警察署の記者クラブを拠点に、毎日三つの区内にある九つの警察署を取材して回りました。

この新しい職場でも、何度か痛い失敗をすることになります。

「方面」担当記者は、交代で警視庁記者クラブに行き、宿泊勤務をすることになっていました。ある日、警視庁への出勤時間に間に合いそうになかったので、渋谷警察署の前でタクシーを拾って警視庁に向かいました。運転手が首都高速道路で行けば早いと言うので、「うまくいけば時間に間に合うな」とホッとして、そのまま運転手にお任せしました。

ところが、いつまでたっても警視庁に着かないのです。「おかしいな」と思っても、窓の外は暗くてよく見えません。雨が降っていたのです。高速を降りたあたりで運転手に「錦糸町に着きました」と言われました。「錦糸町」と聞いたときは、全身が凍り付きました。

タクシーの運転手は「けいしちょう」を「きんしちょう」と聞き間違えていたのです。一体どうやったら「けいしちょう」が「きんしちょう」に聞こえるのか今もって謎です。私の風体《ふうてい》が警視庁とは縁がないように見えたのでしょうか。とにかく私は霞が関のはるか東、隅田川を越えた両国の、そのまた東にある錦糸町まで来てしまったのでした。

大急ぎで引き返して桜田門前にある警視庁に着いたときは大幅な遅刻。警視庁記者クラブに詰めていた先輩は、私の事《こと》の顛末《てんまつ》を聞くと大笑い。かつても同じような失敗をした記者がいるというのです。

とはいえ、この間に何か事件でも起きていたら笑い話では済まなかったでしょう。何もなかったのは本当にラッキーでした。以後、警視庁にタクシーで行くときは、「桜田門の警視庁にお願いします」という言い方をするようにしました。

単独スクープを逃《のが》した世田谷連続放火事件

世田谷連続放火事件で特ダネを逃《のが》したときのことも忘れられません。正確に言うと、間違いなく特ダネだったのですが、情報が漏《も》れて他社との同時報道になってしまったのです。これでは特ダネを逃したも同然でした。

この事件が特異だったのは、地域の警察署が「連続放火」だと気づかなかったことです。当時の警察署は縄張り意識が強く——いまもそうですが——、自分たちが管轄《かんかつ》する地域内で一つか二つ放火事件が起きても、他の警察署管内のことまでは調べようとしませんでした。当然、警察発表もありません。ただ、警視庁には報告していたので、各警察署から上がってくる報告を点検していた捜査一課の捜査員は気づきます。

実際には、世田谷区の広い範囲で次々と放火事件が発生していました。これは単発の放火ではない、連続放火事件だとにらんだ警視庁捜査一課の捜査員が、遅ればせながら極秘で捜査に動き出し、これに気づいたNHKの先輩記者の知らせで私が取材を始めました。

放火された家を一つ一つ見て回っているうちに、ある共通点に気づきました。世田谷の高級住宅街にある、白い壁に青い瓦《かわら》屋根の家ばかりが狙《ねら》われていたのです。なぜそういう家をピックアップしたのか、犯人の意図まではわかりませんでしたが、いかにも高級住宅のイメージがある住宅ばかりでした。とにかく一刻も早く犯人を逮捕しなければ、同じタイプの家が再び狙われるのは目に見えています。

私は企画ニュースとして大きく取り上げてもらえるように提案し、首都圏向けの夕方のニュース番組で放送することが決まりました。その日が来て、これからまもなく番組が始まるという夕方、予想もしなかったことに、ある新聞の夕刊がこの事件を社会面トップで報じたではありませんか。取り上げる切り口も似ていて、記事には「白い家の連続放火魔」と書いてあります。

単独スクープの自信があったのに、どこでどうして情報が漏れたのか。後で知ったことですが、私は取材で得られた情報の一部、特に「白い家」がターゲットになっていることを警察署の副署長に話していました。犯人逮捕につながるならと思って善意で話したことが裏目に出たのです。副署長が他社の記者にその話を伝え、記者は大慌《おおあわ》てで裏取りをして記事にしたようです。

特ダネは特ダネでも、価値は半減してしまいました。

ただ、テレビと新聞の両方が報じたことで、この事件は視聴者に強いインパクトを与えました。その後も放火魔は、警察とマスコミをあざ笑うかのように放火を繰り返しましたが、捜査員も大量に投入され、最後は逮捕されて、事件は終幕を迎えました。

富士山落石事故で「どうでしたか?」の赤面リポート

1980年夏に起きた富士山落石事故のリポートも惨憺《さんたん》たる結果に終わりました。

いくら登山道が整備されていても、富士山ではたびたび落石があります。このときは直径

1~2メートルもある大きな岩が一度に50~60個も転《ころ》がり落ち、12人の人が亡くなり、30人が重軽傷を負うという大惨事になりました。

このとき私は山梨県で起きた幼稚園児誘拐《ゆうかい》事件取材のため、東京の社会部からNHK甲府放送局に応援に駆り出され、山梨県警にいました。社会部からは、「東京からも取材班と中継車を出すが、甲府からの方が近いから、まずは先に入って取材しろ」という指示があったのです。

富士山の五合目に着いたのは午後6時半過ぎ。「7時のニュースに中継しろ」と言われ、関係者から取材をしようとしますが、死者や負傷者は麓《ふもと》に送られた後、五合目には救助関係者くらいしかいません。取材相手がほとんどいなかったのです。

中継時間は近づいてきます。でも、取材は進みません。遂《つい》に7時になってしまいました。

とりあえず現状報告をしようと考えたのですが、なんと手元にマイクがありません。マイクを持った技術のスタッフが、リポートをする記者を探しているではありませんか。慌てて「おーい、マイク、マイク」と叫びながら彼の方に向かったところ、この

「マイク、マイク」の音声がしっかりお茶の間に流れてしまいました。

ようやくマイクを手にした私は、気を落ち着かせて「富士山五合目です」とリポートを始めました。そこでまた気づきました。目の前にカメラマンがいない、と。これは視聴者側から見ると、現場からの中継と銘《めい》打《う》っているのに、リポートしている記者の姿はテレビ画面のどこにもなく、声しか聞こえていない状態です。

どうなっているんだと思いながら――視聴者の皆さんもそう思ったことでしょう――辺りを見回すと、10メートルほど離れたところにいるカメラマンを見つけました。彼は別の方向にカメラを向けています。私はカメラマンに向かって走りながらリポートを続けました。やっとのことでカメラの前に立ったのですが、立ったときはもう話す内容がなくなっていました。息切れしてリポートを続けられる状況でもなく、「これで現場を終わります」と言うのが精一杯でした。

事前に十分な取材ができていなかったので、こんなことになったのですね。

さらに悪いことに、一仕事終わったと思って安心した私は、近寄ってきた先輩記者に「どうでしたか？」とリポートへの感想を尋ねたのでした。迂闊《うかつ》にも、まだ中継のスイッチが切れていないことに気がつかずに……。この「どうでしたか？」も、そのままテレビで流れてしまいました。

いま思い出しても赤面するしかない大失敗でした。

空き時間を見つけて英会話と経済を勉強

ＮＨＫの社会部では、「三方面」の担当の次に警視庁捜査一課と捜査三課を担当することになりました。それまでは2週間に一度、警視庁記者クラブに行くだけでよかったのですが、警視庁担当になると、警視庁記者クラブに毎朝出勤し、午前中は捜査一課長と捜査三課長の記者会見に出席。午後は事件の現場に出動したり、事件の発生に備えて待機したりします。

警視庁担当記者の仕事は、当時、日本のマスコミの中で最も過酷《かこく》といわれていました。上司から内々の打診があったときは、さすがにためらいました。それでも記者になった以上、一番過酷でライバル社の記者たちと激しい特ダネ合戦を展開する場所を経験しておくことは、自分の成長につながると考え、打診を受け入れました。

それ以来、いわゆる「夜討ち朝駆け」や「夜回り」の日々が始まりました。捜査本部を拠点に、捜査員は一日中聞き込み捜査に回っています。記者を相手にしている暇はなく、彼らも一刻も早く事件を解決するために必死です。日中の聞き込み捜査を終えた捜査員がくたびれ果てて自宅に帰ってきたところをつかまえて、まだ公になっていない捜査情報を聞き出すのが「夜回り」の目的です。ろくに相手にしてもらえないことも多く、やっと話が聞けても、あたりさわりのないことしか話してくれないこともしばしばでした。

捜査員が終電で帰宅したときは、記者は捜査員と話ができてもできなくても、もう電車では帰れないので夜回りにはハイヤーを使いました。これはＮＨＫだけでなく、どの社も同じです。捜査員から有力な情報が得られたら、すぐさま警視庁記者クラブに戻り、深夜から朝にかけて原稿を書きます。

捜査員が朝、出勤するときをねらって自宅前で話を聞くこともあります。これが「朝駆け」です。「夜討ち朝駆け」は、夜回りと朝駆けを一緒にした言葉です。

記者は、昼間は昼間で事件現場に足を運び、現場を見たり関係者に取材したりしなければならないので、結局、朝から深夜まで働きづめということになります。

ただし、最近は「働き方改革」で、私の頃のような無茶苦茶な働き方はなくなったと聞いてはいますが。

ただ、拘束《こうそく》時間は長くても、空いた時間がないわけではありません。夜回りで「今日も（捜査員が）帰ってくるのは終電かな」と予想されるときは、待ち時間にやることがありません。そんなとき、私は英会話の勉強をしました。最寄り駅からの通り道で捜査員を待ち伏せしながら、道路脇の自動販売機の明かりを頼りに英会話のテキストを見て英文を暗唱するのです。

せっかく学校や大学で英語を勉強しても、社会人になってから使う機会がないとどんどん忘れてしまいます。かといって仕事をしながら英会話学校に通う時間はありません。こんなことでもしないと英語力は落ちる一方です。このときコツコツ勉強したことが、のちに大いに役に立ちました。

また経済の本を読むこともありました。私自身、経済学部出身ですから、経済関係の本は好きでよく読んでいました。時間がたっぷりあるときは、経済の本を読みながら捜査員の帰宅を待ったものです。

2年間の警視庁担当記者時代に、深川通り魔事件（1981年、4人死亡）、「ホテルニュージャパン」の火災事件（1982年、33人死亡）、羽田沖日航機墜落事故（同年、24人死亡）などを取材しました。

ダジャレが大受けした「ニュースセンター845」

元号が昭和から平成に改まった1989年の4月、私は人事異動で記者生活にいったん区切りを付けました。首都圏向けのニュース番組でキャスターを担当することになったのです。

ある日、突然上司に呼び止められ、「おまえ、4月からニュースセンター845のキャスターだからな」と言い渡されました。驚きのあまり声も出ないでいる私に、上司は「もう決まったことだからら」と言い置いて、さっさとどこかへ行ってしまいました。

こうなったら腹を決めてやるしかありません。いずれ一記者に戻してもらおうと思って始めたものの、この時から私の人生は予想もしない方向に向かって動き始めました。

そもそもこの人事自体が、私の意に反したものでした。というのも、私は記者としてＮＨＫに入社したのであって、アナウンサーとして入ったのではありません。あくまで裏方に徹するのが記者の仕事でした。それが毎日のようにテレビで顔をさらすようになるとは、全くの想定外です。

それまで、きれいな発音と聞き取りやすい発声でニュース原稿を読む訓練など受けたことがありませんでした。キャスターをやれと言われてからも、そうした訓練や研修を受ける機会はなく、「必要な技術は独学で身につけなさい」と言われたようなものです。仕方なく『ＮＨＫアナウンス読本』を自分で買って勉強を始めました。

このとき身につけた技術の一つが腹式呼吸です。訓練を受けていない人だと、喉《のど》だけで声を出そうとするため、喉を痛めやすく、長時間のアナウンスが辛《つら》くなります。

腹式呼吸は、息を吸うときにおなかをふくらませ、吐くときにおなかをへこませながらゆっくり吐きます。吐ききると今度は自然に空気が入ってきておなかがふくらみます。息をゆっくりと吐き出しながら声を出します。すると、身体全体が喉から出る音の共鳴板の役を果たします。弦楽器に例えると、喉が弦であり、身体が木製の楽器本体にあたります。

腹式呼吸をマスターすると、喉を痛めることなく何時間でもしゃべることができるのです。喉が疲れないので、アナウンサーのほか、歌手や声楽家にとっても腹式呼吸の習得は基本中の基本です。

この腹式呼吸による発声法をマスターしたおかげで、のちに民放の長時間の特番収録で、5～6時間しゃべり続けても喉を痛めないで済みました。

「ニュースセンター845」は午後8時45分から9時までの15分間の首都圏向けニュースです。後からわかったのですが、上司としては、私を夕方6時からの1時間番組のキャスターとして育てようとしていたのです。これまでキャスター経験の全くない記者を起用するので、1年間は15分番組で修業させようとしていたのでした。

キャスターになって驚いたことは、NHKの記者が書くニュース原稿が、わかりにくく、おもしろくないことでした。何もあえておもしろく書く必要はありませんが、わかりやすいニュースはおもしろく見てもらえますし、楽しいニュースは楽しい表現を使って伝えればいいのですが、それができていなかったのです。

それまで私は自分の原稿のことしか考えていませんでしたが、他人の原稿を読むようになって、そうしたNHKニュースの問題点に気づいたのです。

キャスターは「最初の視聴者」として記者の書いた原稿に接します。わかりにくい原稿をそのまま読んでいたのでは、視聴者代表の資格はありません。常に視聴者を意識して原稿を手直しするようにしたのです。

日々のニュースの中では「高速道路で牛がトラックの荷台から逃げ出した」とか「住宅街に猿が出没した」とかいう軽い話題も取り上げます。こういうタイプの原稿でも、NHKの記者が書くと堅苦しいものになってしまいます。そこで、少しでもおもしろく伝えようと、時々ダジャレを入れるようにしました。視聴者を飽きさせないための私なりの工夫の一つです。

これは滑っても滑らなくても、大真面目に言い切ってしまうところがミソです。ニュースを伝えるキャスターがダジャレを言うなど当時としては前代未聞《ぜんだいみもん》でした。

これには予想外の反響があり、ＮＨＫには電話や手紙が殺到《さっとう》してさまざまな感想が寄せられました。おもしろがって見てくださる方が多かったと思います。「池上は今日はどんなダジャレを言うだろうか」と私のダジャレを楽しみに番組を見ているという人もいました。

いまでも中高年の中には、「池上彰＝ニュースセンター８４５でダジャレを飛ばしていた人」というイメージを持っている人がいるようです。

「ニュースセンター８４５」では、考えられないような放送事故と、それに伴う私の大失敗も経験しました。いまも忘れられないのは、マイクが故障して私の声が届かなくなってしまった事件です。

その日、カメラに向かってニュース原稿を読んでいると、突然スタッフから「マイクが故障している」という連絡が入りました。カメラの向こうにいる視聴者から見ると、急に音声が途切れて、口をパクパクさせているキャスターの姿だけが映っている状態です。

私はとっさの判断で「ただいま、マイクの具合が悪く、私の声が放送されていません。いましばらくお待ちください」とカメラに向かって呼びかけました。自分では気を利かしたつもりですが、後になって気づきましたね。マイクが故障して音声が流れていないのに、何をしゃべったところで視聴者に伝わるはずはないではありませんか。本当は、手元にある紙に「いま音声が出ていません。しばらくお待ちください」とでも書いて掲《かか》げればよかったのですが、そこまで頭が回りませんでした。

スタジオには予備のマイクも用意してありますが、これも機能しません。実は単なるマイクの故障ではなく、映像と音声を組み合わせるシステムがダウンしていたのです。まさに「想定外」という言葉を使いたくなるような出来事でした。スタッフが別のマイクを持ってきて、ようやく音声が流れるようになり、私はカメラに向かって「マイクが故障して音声が出ませんでした。失礼しました」とお詫《わ》びしました。

こうして音声が出ないまま番組終了という最悪の事態は免れることができました。しかし後日、視聴者から「マイクのせいにするとはけしからん」という叱責《しっせき》のハガキが届きました。これには泣きたい気持ちになりました。

キャスター生活では「わかりやすく」と言い続けた

「ニュースセンター845」だけのキャスター生活は1年で終わり、翌年の1990年4月からは夕方6時10分から7時までの「イブニングネットワーク首都圏」も担当するようになりました。さらにその翌年、1991年4月からは、夕方6時からの全国ニュースも担当することになります。これは10分間の短い番組でした。NHKが重視していたのは午後7時と午後9時のニュースですが、6時からもニュースを伝えていました。これはアナウンサーが担当していたのですが、これも私にお鉢《はち》が回ってきたというわけです。

NHKの記者たちは午後7時のニュースに合わせて原稿を出す習慣がついていますから、それを1時間早めてもらうのは簡単ではありません。原稿は6時の放送の直前にならないと入ってきません。キャスターとしては原稿を下読みする時間がほしいのですが、その時間が取れないのです。そんなときは下読みなしで、いきなりニュース原稿を読むことになりました。

最悪のときは、6時にスタジオに入っても、手元に1本の原稿もないことがありました。「こんばんは、6時になりました」と挨拶《あいさつ》していると、スタジオに1本目の原稿を持ったスタッフが駆け込んでくるという綱渡《つなわた》りでした。

このとき痛感したことがあります。特に政治部や経済部が出してくる原稿は専門用語が多くて難解でした。私も記者ですから、書いてあることはわかるのですが、これをそのまま読み上げても、視聴者は絶対理解できないだろうというレベルの原稿が多いのです。

あるとき、経済部の原稿がわかりにくかったので、経済部の担当デスク（記者の原稿を書き直して完成原稿にする管理職）に、「この原稿わからないんですけど」と言ったら、「わからないのは、お前がバカだからだ」と言い返されました。それは私はバカかもしれませんが、キャスターが理解できないまま原稿を読んだところで、視聴者にわかってもらえるはずがありません。当時は、こんなことを平気で言い放つデスクがいたのです。

こんなこともありましたが、めげることなく、政治部の原稿にも経済部の原稿にも、「わからない」を連発しました。それを続けているうちに、デスクが、「おっと、こんな原稿だと池上に怒られるな」と言って書き直すようになりました。「もっとわかりやすく！」を連発する頑固《がんこ》おやじの役を演じたのです。

「週刊こどもニュース」担当は青天《せいてん》の霹靂《へきれき》

1994年4月からの「週刊こどもニュース」のお父さん役に指名されたときは、仰天しました。青天《せいてん》の霹靂《へきれき》とはこのことです。この頃、私はキャスター生活を卒業して元の一記者に戻りたいと強く願い、その希望が通りそうだと聞いていたので余計に驚きました。

私が指名されたのには、理由がありました。子ども向けのニュース番組である以上、その内容は当然、小中学生が見てわかるものでなければなりません。そこで、いつもくどいほど「わかりやすく」と訴えていた私に白羽《しらは》の矢が立ったというわけです。報道局幹部にしてみれば、「『わかりやすく』とそんなに言うのなら、自分でやってみろ」という気持ちもあったのでしょう。そこで、どうせやるならと思い直し、この際とことんわかりやすいニュース番組を作ってみようと気持ちを切り替えました。

「週刊」とあるように番組は週1回。初めは日曜日の午前中でしたが、途中から土曜日の午後6時10分開始となり、約30分の番組として定着しました。ニュースと名前がついていますから、子ども向けとはいえ生放送です。お父さん役の私のほかにお母さん役と子ども役がいて、子ども役は小学生と中学生の3人です。

毎日慌《あわ》ただしくニュース原稿を読んでいたときと違い、今度は準備時間はたっぷりあります。1週間という時間を有効に使って、徹底してわかりやすさにこだわりました。

番組では、まず「世の中まとめて1週間」と題して過去1週間に起きた国内と海外の大きなニュースをいくつか紹介し、次に「今週のわからん」で特定のニュースを一つ選び、私が模型を使って解説します。最後に企画コーナーがあり、ここでは子どもたちが記者となって現場取材を行い、リポートにまとめます。

「世の中まとめて1週間」は、NHKが放送したニュースの中から5本程度を選び、まずは報道局OBが子ども向けに書き直し、それを私を含めたスタッフ全員で検討。子どもにわかるレベルになっているかをチェックします。その上で、放送前日に子どもたちに集まってもらい、私が原稿を読み上げて、きちんと理解できるかどうか確認します。わからないときはわからないと言ってもらい、どこがわからないのか聞いて、その場で原稿を書き直します。修正原稿ができたらまた読み上げて、同じように感想を言ってもらい、子どもたちが全員「これでわかった」と言ってくれるまでこの作業を繰り返しました。

「今週のわからん」は、前日の打ち合わせなしで行うため、子どもたちからどんな質問が飛び出すかわかりません。しかも生放送です。だいたいこんな質問がくるだろうと予想して準備はしておきますが、時として予想外の質問が飛び出すので、緊張の連続でした。

あなたは、子どもから「政府って、なに？」と聞かれたら答えられますか。思わず言葉に詰まるのではないでしょうか。政治ニュースや経済ニュースには必ずといっていいほど「政府」という言葉が出てきます。しかし、子どもたちには、このような抽象的な用語が理解できません。日本銀行といっても、「普通の銀行とどう違うの?」という疑問が出てきます。

なにしろ生放送ですから、こういう質問にも即座に答えられるようにしておかないと、番組の進行に影響が出てしまいます。

さまざまな事件に出てくる「送検」も説明が難しい言葉です。警察担当を長く務めた私からすれば、説明するまでもない基本用語ですが、これをわかりやすく説明するのはなかなか大変です。番組あてに届くお便りなどを通して知ったのは、実は大人もこの言葉の意味をよくわかっていないということでした。

「今週のわからん」では、初回の「高速増殖炉もんじゅの運転開始」から始まって、「ボスニア・ヘルツェゴビナの内戦」「脳死と植物状態の違い」、そして南アフリカのアパルトヘイト、インフレのしくみ、長良川《ながらがわ》河口堰《かこうぜき》問題、ルワンダ難民、憲法9条と自衛隊、アメリカ同時多発テロ事件というように、あえてわかりにくく難しい問題を取り上げて解説していきました。子ども向けだからといって、子どもだましのようなことはしたくなかったのです。最初から子どもと一緒に大人が見ても楽しめる番組を目指しました。

そのためには、何よりも私自身がそれぞれの問題についてよく理解していなければなりません。わかったつもりのテーマについては改めて勉強し直し、新しい問題が出てきたらその都度、基礎から勉強して理解に努めました。

おかげで「週刊こどもニュース」は視聴率もよく、特に60歳以上の個人視聴率が約20％と高い数字を出して関係者を驚かせました。

NHKの廊下で、自分の人生設計ががらがらと崩れた

しかし、私自身は、キャスターをやるより現場記者をやっていたかった。だから「週刊こどもニュース」のお父さん役をやっているときも「解説委員になりたい」と志望を書き続けていました。報道局の記者は、40歳代になると、デスクという役職に就き、現場から離れます。現場の記者が書いてきた原稿を直したり、取材を指揮したりしま

すが、自分で取材することはありません。ただし、解説委員になると、自分で取材して解説する仕事ができます。NHKでずっと取材現場にいられるのは解説委員だけなのです。ですので、いずれ解説委員になりたいと思い、その希望を伝えていました。

ところが2004年、廊下でNHKの解説委員長に声をかけられました。「君は解説委員になりたいと希望しているようだけど、ダメだからね」と言うのです。

「ええっ。なぜですか?」

「君には専門分野がないだろう。解説委員は記者として専門分野を持っていなければ務まらない。『週刊こどもニュース』ではあらゆるジャンルを解説している。あの仕事は、専門性があるとはいえない。だから解説委員にはなれない」

これを聞いて愕然《がくぜん》としました。自分の人生設計ががらがらと崩れた瞬間でした。このとき、私は53歳。NHKの廊下で、解説委員の道が閉ざされたとなると、もはやNHKにいても、現場記者の仕事はできません。

さて、どうするか。実は「週刊こどもニュース」を担当してまもなく、出版社から「ニュースを解説する本を書きませんか?」という誘いを受け、いくつか本を書くようになっていました。

私は記者ですから、原稿を書くのは楽しいこと。テレビに出るよりは本を書いているほうがずっと楽しいし、NHKを辞めてしまえば、取材だってできます。「よし辞めよう」と思ったところ、「週刊こどもニュース」のスタッフから、「新しい家族になったばかりだから、もうちょっと続けてくれ」と懇願《こんがん》されました。そこでもう1年待って、54歳で退職しました。

「現場で取材したい！」組織を離れ、フリーの道へ

退職を決めたとき、「本を書かないか」というオファーを出版社2社から1冊ずついただいていました。私は、「会社を辞めても年2冊くらいのペースで本を出していれば、つましい生活をしていけば何とかなるんじゃないか」と考えたのです。

この気持ちを知り合いの出版社の編集者に伝えると、「日本でノンフィクション1本で食えるジャーナリストは五指に満たないぞ」と反対されました。フリーになるこ

とを決意した時点では、民放から声がかかっていたわけでもありません。それでも、「ああ、これで現場に取材に行けるぞ」という解放感が優先していて、なぜか怖くはありませんでした。

会社を早期退職された50代の男性が、ハローワークに行って職探しをしたところ、係の人から「何ができますか？」と聞かれて「部長ならできます」と答えたという笑い話があります。でも、これ、笑い話ではなくて実際にこういうやりとりが結構あると聞きます。

日本の大きな会社は、どこも終身雇用制でしたから、それぞれの会社の中に閉鎖的な生態系ができています。長年一つの会社に勤めていると、社内のどこにも知り合いがいて、企画を通すには、どこの誰にプッシュをすればいいか、根回しをどんな順番ですればいいかも、わかるようになります。つまり、その会社の生態系に完全に適応した人生を送ることができるようになる。

しかし、いざこの会社から出るとなると支障をきたします。というのも、フリーの世界や他の会社は、それまで勤めた会社とはまったく別の生態系だからです。それまでの自分の経験が役に立たなくなってしまう。終身雇用制の中でぬくぬくと生きてきたビジネスパーソンは、それぞれが特殊な生態系に適応して進化した生き物のようなもので、他の生態系に移るとサバイバルできないんですね。

「ニュースをやさしく解説すること」が武器になった

翻《ひるがえ》って、私自身が他の生態系で生き抜くにはどうしたらいいか？

ＮＨＫの解説委員長から「お前には専門性がない」と言われたときは大変ショックを受けました。でも、そのあと冷静になって考え直しました。「たしかに私には解説委員としての専門性はない。でも、物事をやさしく解説する、という技術は持っているじゃないか。これだって一つの専門性だぞ」と。

周囲を見渡すと、「あらゆるニュースをやさしく解説する」という専門性を持った人は、見当たらない。これはこれでニッチな業態じゃないか。私一人くらい生きていけるんじゃないか。そのニッチなジャンルでニュース解説の本でも書いていけば、そこそこなんとかなるんじゃないか。そう思ったからこそ、恐怖なく退職ができました。

ＮＨＫを辞めるに際し、自宅の近所に仕事場となるマンションを借りて、そこでひたすら原稿を書く仕事を始めました。

いまでも覚えています。２００５年の３月31日。これで終わりだとＮＨＫの西口を出て道路を渡ったときのなんともいえない浮遊感。それまでの人生は、幼稚園、小中高、大学、そしてＮＨＫと常にどこかに所属していたわけです。その意味では、生まれた頃の赤ん坊時代以来、どこにも属さないフリーな立場になりました。漂《ただよ》うような不安感と、大変な解放感。両方セットでした。不思議な気分でした。

独立してすぐに民放から声がかかりました。まったく売り込みをしていなかったのですが、一つめはフジテレビから。朝の情報番組「とくダネ！」のディレクターが元ＮＨＫの人間で、私がＮＨＫを辞めたことを聞きつけて、すぐに連絡をくれました。「コメンテーターで出ませんか」と。何回か出ましたが、初回のときにＮＨＫに「なぜＮＨＫのアナウンサーが民放に出ているんだ」と抗議電話があったそうです。

ところが、私は朝が弱い人間。「とくダネ！」は午前7時にはフジテレビに入らなければなりません。数回出たところで、「これは辛《つら》すぎる」と考え、出演を断りました。するとこ今度は日本テレビのディレクターから「世界一受けたい授業」に出ませんかという誘い。これには悩みました。NHKを出てすぐに民放に出るのは節操《せっそう》がないのではないかという躊躇《ちゅうちょ》があったのです。「週刊こどもニュース」のスタッフに相談したりしていたのですが、結局、ディレクターの熱意に負けて出演することにしました。

その頃、テレビ東京の政治部長だった福田裕昭《ふくだひろあき》さんが「一緒に番組を作りませんか」とやはり声をかけてくれました。政治部記者として「週刊こどもニュース」を見てくれていたというのです。「誰よりもニュースをやさしく解説する」という「週刊こどもニュース」時代に培《つちか》った専門性が「池上彰の武器」として認められたわけです。その後、福田さんは番組のプロデューサーを経て現在は報道局長に出世しました。報道局長となると、現場に出るわけにいきません。「一緒にロケに出られなくなった」と嘆《なげ》いています。

何の武器も持たずにフリーになったり、転職したりするのは、いくらなんでも無謀《むぼう》だと思います。逆に言うと、第二の人生を自分の意思で歩めるようにするには、所属している会社や組織でちゃんと自分の武器を磨《みが》いておく必要があります。

社内にこもらず、どんどん外に出て行こう

以前、取材でお会いした人に、実業家の松本晃《まつもとあきら》さんがいらっしゃいます。この方は、もともと新卒で伊藤忠《いとうちゅう》商事に勤めていて、その後ジョンソン・エンド・ジョンソンに転職して社長を務め、カルビーに移って最高益を記録し続けた辣腕《らつわん》経営者です。松本さんは、伊藤忠時代からその凄腕《すごうで》営業マンぶりが社外にとどろいていたそうです。つまり、「会社の外で」名前が売れていた。他の会社に移ったり、フリーになったりして活躍できる人は、もともと所属していた会社に勤めているときに、社内以上に社外で名前が売れている場合が多い。

では、どうすれば社外にまで名前を売ることができるのか。私が思うのは、「自分に投資をする」ということです。まずは、目の前の仕事を人並み以上にちゃんとやる。自分が担当している仕事もできないのに他の仕事はできるということはまずありません。

いまの仕事でちゃんと実績を上げる。それが第一歩です。本業に力を尽くしてライバル企業にも名前がとどろくぐらい頑張ってほしいですね。

同時に、社内にこもらず、外に出て行きましょう。一番無駄なのは、週に2回も3回も会社の同僚たちと飲みに行って、愚痴《ぐち》を言い合って帰ってくる、というのを繰り返すことです。どうせ飲むんだったら、社外の人と飲んだほうがいい。勉強会に出たり、英会話学校に行ったりしてもいいですね。

もちろん飲みニケーションすべてが悪いわけではありません。大きなプロジェクトが終わったあとに、会社の仲間で打ち上げに行くのはいい。そういうチームワークは大切にすべきです。

でも、社内の同僚とだらだら飲みに行く癖《くせ》が付いていたら要注意です。ましてや二次会三次会まで付き合うなんて、愚《ぐ》の骨頂《こっちょう》。できる人は一次会ですっと姿を消します。「いやいや、チームワークを強くするには、お互い腹を割って酒を酌《く》み交わしたほうがいい」なんて言う人がいますが、だいたいこういう飲み会は、「人事のうわさ」や「俺は評価されてない」という愚痴か「俺を評価していない上司はバカだ」という悪口になっておしまいです。

どんなに忙しくても、本を読む時間は作れる

生産性のない社内飲み会で時間を浪費するぐらいなら、その分本を読んだほうがずっといい。多忙でも優秀な経営者は、猛烈に読書をしているものです。ライフネット生命の創業者の出口治明《でぐちはるあき》さんは中でも別格です。出口さんはライフネットを創業する前は、日本生命に勤めていました。日生時代に暇を見つけては膨大《ぼうだい》な読書に勤《いそ》しんでいたそうです。

どんなに忙しくても、本を読む時間は案外作れるものです。私も地方勤務のときは、少なくとも週に1回は休みがありました。休みの日はひたすら本を読んでいました。出張のときだって、ムダにしたらもったいない。新幹線で大阪日帰り出張なんて、読書にうってつけです。

帰りの新幹線は多くのビジネスパーソンが缶ビールをプシュッとやっていますが、

それではもったいない。飲むのは東京に着いてからでもいいではありませんか。2時間30分のまとまった時間はなかなかとれないものです。新幹線に乗っている間くらい読書をしたらいいのに、と私は考えるのです。

ちなみに飛行機の国内線は、乗っている時間が1時間ちょっとと短いので、案外読書に向いていません。私は東京からだと広島までなら今でも新幹線を使います。片道5時間、たっぷり読書タイムができますから。大阪日帰り出張のときは、行きに読む本1冊、帰りに読む本1冊を用意しますが、それだけではないのです。もし新幹線が途中で止まったら……と考え、もう1冊。いつも3冊持っています。結局、1冊は読まずに帰るのですが。

「興味を持つ」ことが、勉強の「入り口」

ふだんのニュースを見ていても、みんな「わからない」ことには興味が持てません。

なぜ「わかりやすい解説」にニーズがあるのか。それは、解説によって「わからない」

から「興味を持つ」まで橋渡しができるからではないでしょうか。「興味を持つ」というのは、勉強の「入り口」にあたります。「わかりやすい解説」で興味を覚えたら、その先については自分自身で手間ひまをかけて勉強してほしいのです。

わかりやすい解説をしている側は、その裏でわかりにくいけれど絶対に勉強しておかなければいけない本をたくさん読んでいます。あるいは一次資料を探し出したり、フィールドワークを重ねて現場を体験したりしています。だったら、学ぶ側も、どこかで学ぶ労を負わないと、自分の力をつけることにはなりません。

英会話のたとえで言うと、私の解説は基礎英語です。そこで英語に興味を持ったら、今度は自分の努力でビジネス英会話やＴＯＥＦＬを受けるように、自分自身で勉強をしてほしい、と願っています。

人に説明することで課題が明らかになる

ただ、本を読み慣れていない人は、いきなり専門書を読んでもなかなか頭に入らないかもしれません。

そういう人におすすめなのが、私が「こどもニュース」のキャスター時代に会得《えとく》した、アウトプットを意識したインプットという読書法です。何をするかというと、自分が読んだ本の内容を、それに詳しくない人に説明してみる。人に説明しようとすると、案外わかっているつもりの内容がさっぱり頭に入っていなかったことがわかったりします。

「こどもニュース」時代の経験で言うと、たとえば「日本銀行の金融緩和ってどうやるのか」を小学生に理解してもらおう、という課題を念頭に専門書を読んでみる。読んでいる最中に、この仕組みをやさしく例えるにはどうしたらいいか、小学生にもわかる言葉に置き換えるにはどんな比喩《ひゆ》をもってくればいいのか、と自問自答する。

そこで、今度は、スタッフを実験台にして説明をしてみます。すると、「ここはよくわからない」「ここがまだるっこしい」と文句が出てきます。そこを修正していくうちに自分が本で得た知識が血肉《けつにく》となっていく。こんな具合に、常にアウトプットを意識したインプットをするわけです。

すると、おもしろいように本の中身が自分の頭に入ってきます。そうやって、インプットしたら、今度は誰かに説明してみる。つまりアウトプットをしてみる。最初はだいたいうまく説明できません。でも、何度も繰り返すうちに、だんだん説明が上手になります。

自分がインプットしたものを、誰かに話す、つまりアウトプットする。これは勉強だけではなくて仕事でも使えそうな技ですね。

誰かに自分の仕事を説明することで、自分の仕事のおもしろいところ、課題があるところなどが明らかになっていきます。

学校の先生は、授業をやることがアウトプットであり、同時にインプットでもあるわけです。

忙しくてできる人に限って猛烈に読書をしていることは、すでに書きましたが、これからの「人生100年時代」を生きる以上、もっとインプットの努力をしてみましょう。

腐《くさ》らず、落ち込まず、勉強を続けて今がある

後から考えると、「週刊こどもニュース」を担当することになったのは、私の職業人生最大の転機でした。「なんだ、子ども向けの番組か」などとネガティブに捉《とら》えて腐《くさ》っていたらいまの私はなかったでしょう。記者時代に経験したこと、そしてキャスター時代と「週刊こどもニュース」時代に勉強を重ねたこと、そのすべてが私の大切な財産です。

首都圏ニュースのキャスター時代に、雑誌『週刊TVガイド』(東京ニュース通信社)からニュース解説のコラムを執筆してほしいという依頼があったことも、私にとっては幸運でした。海外特派員の経験はなかったので国際ニュースは未知の領域でしたが、国内ニュースしか取り上げないというわけにはいきません。連載コラムなので当然、国際ニュースも扱います。毎週、必死に勉強し、知識を積み上げていきました。もちろん、連載担当は上司の許可を得た上でのことでした。

また、「週刊こどもニュース」を見ていた出版社の編集者に声をかけていただき、本を出すこともできました。NHK在職中に講談社から出た『小学生の大疑問100』という本は10万部も売れるベストセラーになりました。私は「はじめに」を書いただけで、別に印税が入ったわけではありませんが（印税は協力費としてNHKに入りました）、私の文章を見た編集者から「ニュース解説の本を書きませんか」と提案を受けたのです。これをきっかけに講談社から『ニュースの「大疑問」』を初の単著として出すことができました。

学校教育で習う機会の少ない現代史について解説した『そうだったのか！ 現代史』『同パート2』『そうだったのか！ 日本現代史』（以上集英社）も、「週刊こどもニュース」を担当しているときに出た本です。夏休みを使ってベトナムやラオスに取材に行き、自分の弱い分野を補うように努めました。資料や関連書籍も大量に読み込み、かなりの時間をかけて書き上げた、内容の濃い私の自信作です。最初はムック風の大きな判で出版され、のちに文庫になったときは上下2段組にもかかわらず、どれも400ページを超える本になりました。高校生以上であれば容易に読めるように工夫しました。

役職定年になる前にＮＨＫを辞めフリーになる決断ができたのは、こうやって雑誌に書く、本を出すという経験をさせてもらったおかげです。退職後もなんとか食べていけるという見通しがなければ、とても54歳で会社を辞めるという決断はできなかったと思います。

ニュース番組のキャスターに「週刊こどもニュース」のお父さん役、そして出版社からの依頼もそうですが、とにかく依頼された仕事は感謝して引き受け、引き受けた以上は必死に勉強する。そして少しでもより良い仕上がりになるよう努力する。その過程で失敗があっても決してくじけない。そうした積み重ねがいまにつながっていると思っています。

本が売れない寂しさを味わった

本の出版に関しては、何度か苦い経験をしたことがあります。『小学生の大疑問１０

0』が成功を収めた後、「週刊こどもニュース」でニュースをわかりやすくするためにどんな工夫をしているのかを、1冊の本にまとめて世に問おうと考えました。ニュースの「わかりやすさ」を追求して日々奮闘している私たちの姿を多くの人に知ってほしいという気持ちからです。

時間を見つけてコツコツ書きためた原稿がまとまった分量になった頃、あるパーティーで出会った出版社の編集者に思い切って話してみました。すると、その人が原稿を読んでくれると言うではありませんか。苦労した甲斐《かい》があったと思い、善は急げと喜んで原稿を持参したところ、「どんな本になるかまったくわからない」と言われて、突き返されてしまいました。

手のひらを返したような冷たい態度には愕然としました。パーティーでの甘い言葉は単なるリップサービスだったのでしょう。信じた私が愚かだったとはいえ、やはりショックでした。

なんとかリベンジを果たしたいと思っていると、しばらくして前から付き合いのあった別の編集者が声をかけてくれました。彼は長く雑誌の編集に携《たずさ》わっていた人です。

聞いてみると、古巣を離れて子会社に移り、家族や子ども向けの書籍を担当することになったということでした。そこで私のことを思い出してくれたのです。捨てる神あれば拾う神あり、ですね。

彼との再会がきっかけで、お蔵入りになった原稿が日の目を見ることになりました。書名は『ニュースなんでも探偵団』となりました。

実は私は書名を『これが「週刊こどもニュース」だ』にしたいと提案したのですが、彼は「こどもニュース」がどれだけ人気かわかっていなかったようで、『ニュースなんでも探偵団』というタイトルになってしまいました。案の定というべきか、これが全く売れませんでした。普通、書籍は初版で一定の部数を印刷して販売し、売れ行きが良いと2刷、3刷……と増刷を重ねていきます。このときは初版止まりでした。本が売れないとはこういうことなのかと寂しい思いをしました。

ただし、これが集英社文庫から出ることになってから、ようやく『これが「週刊こどもニュース」だ』に改題したところ、こちらは売れました。いまも版を重ねています。書名は大事だと痛感しました。

質問力の不足を痛感させられた

フリーになってからは、書籍の執筆や雑誌への寄稿、テレビ番組への出演、対談とジャーナリストとしてさまざまな仕事をし、同時並行で国内外を飛び回って現場取材をしてきました。仕事をするなかで痛感していることの一つが、質問力を磨くことの大切さです。

専門家に取材しても、ありきたりの話しか聞き出せなければ、取材した意味がありません。その人が持っている重要な情報を、どうやったらうまく引き出せるか。これは取材する側の質問力にかかっています。取材を受ける側が話したくてうずうずしている場合は別ですが、通常、相手は取材する人間の質問レベルをじっと見ています。

こちらがレベルの低い質問しかしなければ、ありきたりな答えしか返ってきません。鋭い質問をすれば、「おっ、なかなかやるな」と思って、普通は話さないようなことまで話してくれることがあります。「こいつには自分が知っていることは何でも話してやろう」と思わせるには、話を聞く側も質問力を鍛《きた》える必要があるのです。

それには、自分が何を知りたいのか、逆に言えば、自分がどういうことをわかっていなくて質問するのかということを、明確に知っておかなければなりません。

著名人や専門家の講演会を聞きに行くと、たいていの場合、最後に質問時間が用意されています。そのときに、話を聞いて何となくもやもやするところがあって質問したいのに、そのもやもや感をどう表現していいのかわからず、どう質問しようかと考えているうちに質問時間が終わってしまったという経験はありませんか。

自分にはわからないことがある。でも、そのわからないことって何なのかが、自分でもよくわからないというケースです。これでは質問できません。質問をするためには、自分は何がわからないのかわかっていなければいけないのです。

しかし努力して質問力を磨き、その人に聞きたいことがあって聞いているのに、「そんなバカな質問をするな」と言われることがあります。これは一種の威嚇《いかく》ですね。自分にとって都合の悪い質問なので、相手を威嚇して質問をはねつけてしまうのです。

そうかと思えば、人にわかるようにうまく説明できないのを隠すために、質問拒否の態度をとる人もいます。

そんなときのために覚えておいてほしいのが「愚かな質問はない、あるのは愚かな答えだけだ」という言葉です。威嚇に屈《くっ》していてはこちらが本当に聞きたい話を引き出すことはできません。「愚かな質問はないのだ」と開き直って聞きたいことがあったらどんどん聞きましょう。それが質問力を磨くことにつながります。

私が質問力の不足を痛感させられたのは、NHKの社会部記者時代に、瀬島龍三《せじまりゅうぞう》氏（故人）にインタビューしたときです。瀬島氏は戦前、陸軍士官学校を経て陸軍大学校を首席で卒業し、関東軍参謀《さんぼう》や大本営陸軍参謀を務めたエリートです。敗戦時にソ連によってシベリアに抑留《よくりゅう》され、11年後の1956年に帰国を果たしました。その後は伊藤忠商事に入社して会長も務めました。

取材当時、瀬島氏は中曽根《なかそね》内閣が設置した臨時教育審議会（臨教審）の委員でした。教育問題は本来、文部省（現・文部科学省）の担当分野ですが、このときは中曽根総理が教育の大改革を行うと宣言し、文部省ではなく内閣の主導で改革を行うため臨教審を設置していました。

インタビューを申し込んだのは、審議会の委員になった瀬島氏の考え方が答申の方向性や内容に影響を与えるのではないかと考え、彼の教育観を聞き出すのが目的でした。

時間は約30分。何を聞いても建前の話ばかりで、本音の話が出てきません。のらりくらりとかわされて、最後まで彼の心の扉をこじ開けることができませんでした。若かった私は、まだ質問力が未熟でした。このとき味わった悔しさを胸に秘めて、この後、私は質問力をもっと磨こうと努力することになります。

4章

読書が好き

——よい本との出合いは人生の宝だ

ショウペンハウエル 著
『読書について』

斎藤忍随 訳
岩波文庫

本を読めば読むほどバカになる!?

大学に入ると、一段と読書熱が高まりました。乱読という表現がふさわしい読み方でした。当時は「教養主義」の雰囲気がまだ残り、岩波新書や岩波文庫は読んでいて当然という空気が大学生の間にありました。読んでいないと仲間にバカにされたり、話に入っていけなかったりして、追いつこうと必死になっていました。いまはそんな空気がすっかり消えてしまったのが残念です。

それはともかく、貧乏学生だったので、とりあえず岩波文庫の一番安い本を全部読もうと思って挑戦しました。その当時の岩波文庫は、いまとは価格の付け方が違います。星一つ（★）が50円、★★が１００円、★★★が１５０円という実にアバウトな値決めをしていたのです。

星一つ50円の本を全部読もうと決めて片っ端から読んでいきました。そうしていくうちに出合ったのがショウペンハウエルの『読書について　他二篇』という本です。これも星は一つ。現在、本体価格が６４０円になっています。

西洋哲学史では、ショウペンハウエル（いまはショーペンハウアーという表記が一般的です）はカント、ヘーゲルの次あたりに登場する主に18世紀前半に活動した哲学者です。戦前の日本の旧制高校では、「デカンショ」（デカルト・カント・ショウペンハウエル）と言って、この３人の思想を理解していることが知性と教養の証《あかし》とされました。私もショウペンハウエルというだけでなんとなく高尚な感じがして惹《ひ》かれましたし、「読書について」というタイトルも私にぴったりでした。

「読書についてだから、本を読むのがいかに大事かということが書いてあるに違いない。たくさん読書をすれば深い教養が身につくから読書を怠《おこた》るなという内容だろう」

そう考えて、読書のすすめの本だと思い込んで読み始めたのです。

実際に読んでみたら、あっと驚くような文章に出くわしました。さすがはデカンショです。それまで考えてもみなかったことが書かれていました。該当箇所を引用してみます。

「読書は、他人にものを考えてもらうことである。本を読む我々は、他人の考えた過程を反復的にたどるにすぎない。習字の練習をする生徒が、先生の鉛筆書きの線をペンでたどるようなものである。だから読書の際には、ものを考える苦労はほとんどない。自分で思索する仕事をやめて読書に移る時、ほっとした気持になるのも、そのためである。だが読書にいそしむかぎり、実は我々の頭は他人の思想の運動場にすぎない。そのため、時にはぼんやりと時間をつぶすことがあっても、ほとんどまる一日を多読に費やす勤勉な人間は、しだいに自分でものを考える力を失って行く」（岩波文庫）

これは衝撃的でした。本を読めば読むほどバカになると書いてあります。要するにそういうことですよね。自分でものを考えることができなくなる、と。

「ああ、そうか」と思いました。ただひたすら本を読んでいればいいというものじゃないんだ、それでは自分の頭を「他人の思想の運動場」として貸しているだけなんだと気づかされたのです。

自分を「他人の思想の運動場」にしてはいけない

だからといってショウペンハウエルは、本を読む必要はない、そんなのは時間の無駄だと言っているわけではありません。本など読まないで、ただひたすら自分の頭で考えよと言っているのかといえば、それは違います。

少し先で彼はこう書いています。

「食物をとりすぎれば胃を害し、全身をそこなう。精神的食物も、とりすぎればやはり、過剰による精神の窒息死を招きかねない。多読すればするほど、読まれたものは精神の中に、真の跡をとどめないのである。つまり精神は、たくさんのことを次々と重ねて書いた黒板のようになるのである。したがって読まれたものは反芻《はんすう》され熟慮されるまでに至らない。だが熟慮を重ねることによってのみ、読まれたものは、真に読者のものとなる。食物は食べることによってではなく、消化によって我々を養うのである。それとは逆に、絶えず読むだけで、読んだことを後でさらに考えてみなければ、精神の中に根をおろすこともなく、多くは失われてしまう。しかし一般に精神的食物も、普通の食物と変わりはなく、摂取した量の五十分の一も栄養となればせいぜいで、残りは蒸発作用、呼吸作用その他によって消えうせる」（同）

自分が他人の思想の運動場にならないようにするには、読んだ内容をそのまま受け取るのではなく、読んだ後、それを自分でしっかり考える、自分で本当にそうだろうかと考える時間が必要だということです。

1冊の本を読み終わったら、すぐラインで「こんなの読んだぞ」とか、ツイッターで「話題の本を読み終えた」とかつぶやくのではなく、まずは、いま読んだ本について自分なりに考える時間をとってみることです。感動したのであればなぜ感動したのか、ちょっと違うなと思ったら何が違うんだろうかと考えてみる。読んだことが「精神の中に根をおろす」まで熟慮するのです。そういう時間が実はとても大事ではないかと思っています。

もしそれが一人でできないときは、たとえば友達と一緒に同じ本を読んで、それぞれが感想を言い合うというのも一つの方法です。こういうことは、映画ではよくやるのではありませんか。

友達と映画を見に行って、見終わった後、喫茶店に入ってその映画についてあれこれおしゃべりすることがありますよね。

すると、みんなで「よかったね、おもしろかったね」と言いながらも、話しているうちに自分が感動したところと友達が感動したところが全然違っていることに気づいたりします。あるヒロインやヒーローの行動を、まったく違ったように受け止めているのを知って、「へえ、そういう見方もあるんだ」と感心することも、きっとあるでしょう。たった1本の映画でも、人によってまったく反応が違うわけです。

友達と話すことでその映画に対する見方が変わったり、新しい発見があったりするので、映画を見ることよりも、むしろその後、同じ映画を見た友人同士で語り合うことのほうがずっとためになります。

読書についても同じことが言えるのではないでしょうか。同じ本を読んで感想を言い合う。それによってこんなにも受け止め方が違うのかと知ることで自分の視野が広がり、同時に、自分の頭でものを考える力もついてくると思うのです。

大学生には是非たくさんの本を読んでいただきたい。しかし、ただ読むだけでは、読んだという事実が残るだけで得るものはないかもしれません。本を読んで、そこから本の内容を自分なりに解きほぐしてみる。そして自分なりの思想、考え方を形成する。そのための材料にするような読み方をしてほしいと思います。

吉野源三郎 著
『君たちはどう生きるか』

岩波文庫

漫画 羽賀翔一
マガジンハウス

生き方について考えるきっかけに

そうはいっても、これまで読書の経験があまりなく、何を読んだらいいのかわからないという人もいるかもしれません。前に、一人ひとりがどのような生き方をするのかという、生き方について考えるところが大学だと言いました。そこで、生き方について考えるきっかけとなるような本を何冊か取り上げてみましょう。

まず紹介したいのは、吉野《よしの》源三郎《げんざぶろう》の作品『君たちはどう生きるか』です。初版は1937年に新潮社から出版されました。現在は岩波文庫、ポプラポケット文庫、マガジンハウスから出ています。原作と羽賀翔一《はがしょういち》さんの漫画を融合させた『漫画　君たちはどう生きるか』（マガジンハウス）が爆発的に売れましたが、活字が大好きな私としては、漫画版を導入にして、やはり原作にも触《ふ》れてほしいですね。

主人公は本田潤一《ほんだじゅんいち》、あだ名がコペル君という中学2年生です。冒頭で父親は2年ほど前に亡くなったと書かれています。コペル君という変わったあだ名は、天文学者のコペルニクスからきています。また中学も戦前の旧制中学なので、コペル君はいまなら高校生だと考えていいでしょう。

このコペル君は学校やふだんの生活でさまざまな経験をしますが、父親代わりの叔父さんが話し相手になったり、相談に乗ったりしてくれます。叔父さんはもっと伝えたいことがあると、「ものの見方」「人間の結びつき」「偉大な人間」など人間の生き方についてのいろいろなテーマで、自分が考えていることをコペル君に話して聞かせるという形式でノートに書き記していきます。

そうした交流を通してコペル君の精神的成長を促し、コペル君も少しずつ大人になっていくという物語です。

いじめられている友人を助けることができるか

最近は学校でのいじめで子どもたちが自殺する事件が頻繁に起きています。そうしたニュースに接するたびに思うのは、そこまで追い込まれる前に、誰かが気づいて、いじめをやめさせることができなかったのかということです。

でも、果たして自分がその場にいたら、いじめられている子を助けることができたかどうか。たとえば、大勢から暴力をふるわれている子を目撃したときに、あなたは自分も暴力をふるわれる覚悟で助けに入ることができるでしょうか。言うは易《やす》く行うは難《かた》しです。見て見ぬふりをするのが一番楽ですから。

『君たちはどう生きるか』には、コペル君の友人が柔道部の上級生たちからいじめ、それも暴力的ないじめを受ける話が出てきます。

正月が過ぎた頃、友人の北見《きたみ》君が生意気なやつだと上級生から目をつけられ、彼らが近々制裁を加えるという噂《うわさ》が立ちます。制裁とはゲンコツで殴《なぐ》ることです。なんだか旧日本軍の鉄拳《てっけん》制裁みたいですね。初版は1937年。日中戦争が始まり、日本全体がアメリカとの戦争に傾斜していく中で、学校で鉄拳制裁というのは、よくあった出来事なのです。

噂におびえた北見君と仲間たちの4人——その中にコペル君もいます——は対策を話し合い、北見君が殴られそうになったら「3人で加勢《かせい》して一緒に俺たちも殴れと言ってやろう、そうすればまさか殴ったりしないはずだ。それでも殴ってきたら、そのときはみんなで一緒に殴られよう」と約束します。

しばらくして、噂が現実となる日がきました。雪が積もった運動場で北見君は上級生たちに殴られ、友人ふたりが立ちはだかって彼を守ろうとします。3人は上級生から雪つぶての集中砲火を浴び、さんざんな目にあいました。

しかし、コペル君は恐怖のあまり、助けに入ることができませんでした。何もできず、ただ成り行きを見ているしかなかったのです。上級生たちが去った後、殴られた3人は体を寄せ合って泣いているのに、コペル君は彼らに近づくことさえできません。「あれほど固い約束を交わしたのに、自分は約束を破ってしまった。自分は何という卑《ひ》怯者《きょうもの》だろう」と自責の念に駆られ、それから悩み苦しむことになります。
私が初めてこの本を読んだのは小学生のときでした。コペル君の悩みが我が事のように感じられ、誰かがいじめられているときに、自分はいじめを止めることができるのだろうか、勇気って何だろうかと、自分なりに悩み、考えたことをいまでもよく覚えています。

勇気とは何か

苦しみ抜いたコペル君は、とうとう叔父さんにすべてを打ち明けて相談します。事情を知った叔父さんの答えはこうでした。

「そんなこと——、そんなこと、何も考えるまでもないじゃないか。いま、すぐ手紙を書きたまえ。手紙を書いて、北見君にあやまってしまうんだ。いつまでも、それを心の中に持ち越してるもんじゃないよ」(岩波文庫)

しかし、そう言われてもコペル君はふんぎりがつきません。どうしてもためらいが残りました。「あやまったら北見君たちは許してくれるだろうか。いくらあやまっても許してくれないのではないか」という疑念をぬぐえなかったからです。

叔父さんの言葉は、厳しくなります。助けに入ろうとして入れなかったのは勇気がなかったからだ。いままた、あやまらなければいけないと思いながらあやまれないでいるのは、やはり勇気がないからだ。また同じ過ちを繰り返すのか、と。

こうして叔父さんは「勇気とは何か」についてコペル君に考えさせ、奮起を促《うなが》します。叔父さんと話した後、コペル君がどう行動し、どんな結果をもたらしたかは、あなた自身で本を読んで確かめてください。

この対話の後、叔父さんはコペル君にあてたノートに次のように書き留めました。

「自分の過ちを認めることはつらい。しかし過ちをつらく感じるということの中に、人間の立派さもあるんだ」

「『誤りは真理に対して、ちょうど睡眠が目醒《めざ》めに対すると、同じ関係にある。人が誤りから覚めて、よみがえったように再び真理に向かうのを、私は見たことがある。』

これは、ゲーテの言葉だ。

僕たちは、自分で自分を決定する力をもっている。

だから誤りを犯すこともある。

しかし――

僕たちは、自分で自分を決定する力をもっている。

だから、誤りから立ち直ることも出来るのだ」（同）

辛《つら》くなったら本の世界に逃げればいい

著者がいじめの問題を取り上げたのはいまから80年も前でした。いじめは何もいまに始まった問題ではないのです。

「いじめられたら本に逃げ込めばいい」と提唱しているのは、今回の改元に際し元号に関する懇談会の委員を務めた作家の林真理子《はやしまりこ》さんです。

林さんも、中学生の頃よくいじめられたそうです。「林真理子を百回泣かせる会」を結成した男子たちから、画鋲《がびょう》を載せられた手を無理やり握らされたり、顔に墨《すみ》を塗られたり、椅子の上に生け花用の剣山《けんざん》を置かれたりしたと『野心のすすめ』（講談社）という本で明かしています。そういう肉体的いじめはまだましなほうで、みんなから無視され仲間はずれにされたときは、もっと傷ついたということです。

また新聞の読書特集欄への寄稿では、いじめられて辛《つら》い思いをしたときには、大好きな本を読みふけって、本の世界に逃げ込んで、やり過ごすことができたと書いていました。

林さんの考えには私も賛成です。私も子どもの頃辛い思いをしたり、子ども心にストレスがたまったりしたときには、本を読んでいました。本の中には現実とはまったく違うもう一つの世界があります。その世界にひたることによって、気がついてみるとすっかり気持ちが穏《おだ》やかになっていたり、怒りの感情が消えたりしていました。

いま自分は辛い目にあっているけれども、世の中はそんなことばかりではないと思えるようになったのも、古今東西の小説やSFなどたくさんの本を読んでいたからです。

こう書くと、「それは現実逃避じゃないか」と言う人がいるかもしれません。確かにそうですが、それは決して悪いことではありません。本を読んでいる間は、嫌な現実から逃げることができます。本当に辛くなったら、逃げればいいのです。

読んでいる本を閉じた瞬間に、また嫌な現実が目の前に現れるかもしれない。でも、本を読んで何度も何度も逃げているうちに、自分の気持ちの持ち方が次第に変わってきます。これが読書の効用です。

子どもにとって、自分の生きている社会は、家庭と学校、そして友人同士の社会しかありません。自分の生きる場所を自分で選ぶことができないので、いじめを受けて逃げ出したいと思っても逃げ場がなく、子どもは追い詰められていきます。でも、読書を通じて、もし違う世界をもう一つ持っていれば、そっちに逃げて助かることがあります。

本の中に出てくる主人公は、多くの場合、私たちがこうあってほしい、こうありたいと願う人物を体現しています。彼らは逆境を乗り越えて成功をつかんだり、辛く苦しい目にあっても知恵を使って巧みに逃れたり、絶体絶命のピンチに直面しても決してあきらめなかったりと、みんなたくましく生き抜いています。絶海の孤島で孤独に生きている主人公もいれば、自分のことよりいつも仲間や人のことを気にかけている優しい人物もいます。

本を読んでいると、「いまの自分の世界など小さい、小さい……。自分ももっと強くならなければ。もっと人に優しくならなければ」と思えてきます。主人公や登場人物たちから力をもらって、なんとか頑張っていこうと思えるようになるのです。

ただし、本を読む余裕もないほど追い詰められ、陰惨《いんさん》ないじめや暴力にさらされている場合は、躊躇《ちゅうちょ》なくＳＯＳを発していじめ相談室などに助けを求めるべきです。本の世界に逃れようとしても、それさえ許されないというケースもあるからです。

福沢諭吉 著
『学問のすゝめ』

岩波文庫

半ば義務感で読み始めた

東京工業大学で、「学生に読むことを勧める本を紹介してください」と言われたとき、私が迷うことなく挙げたのが福沢諭吉《ふくざわゆきち》の『学問のすゝめ』です。これも岩波文庫に入っています。

『学問のすゝめ』は明治時代の初期に書かれており、いまではあまり使われない言葉も出てきます。そういう言葉に注を付けて読みやすくしたものが『福澤諭吉著作集第3巻』として慶應義塾大学出版会から刊行されています。ほかに文語体の原著を現代語訳に改めた本も出ているので、自分に合った本を選んでください。

私がこの本を初めて読んだのは、慶應義塾大学への入学が決まった直後です。創立者である福沢諭吉の本を読んでおかなくてはまずいだろうと思って、読みたいからというよりも、半ば義務感で読み始めました。実は慶應義塾は第一志望ではありませんでした。私が受験生だった1968年は大学闘争の嵐が吹き荒れ、東京教育大学が筑波への移転をめぐって反対の学生たちのストライキが続き、全員が留年するような事態になったため、「新規の入学を認めない」という制裁を文部省から受けたのです。結果、ストライキをしていなかった体育学部を除く全学部の試験が中止になりました。

その後、ストライキは終わり、東京教育大学は筑波に移転。まったく新しい大学にするという掛け声のもとに筑波大学に衣替えしました。

一方、東京大学も医学部の学生に対する誤認処分に怒った学生たちが安田講堂を占拠し、大学側が機動隊の出動を要請して学生を排除したため、怒った学生たちが全面ストライキに入り、こちらも入試が中止になりました。受験界は大混乱です。私も進路変更を迫られ、結局、慶應を選択しました。福沢諭吉に憧《あこが》れて選択したわけではなかったので、福沢諭吉の本を読んだことがなかったのです。

しかし、読んでよかったと思いました。学ぶことが人生にどんな意味があるのかを、まだ10代だった私に教えてくれました。１００年前の日本にこんなすごい人がいたのか、その大学に入れるんだと誇りに思ったことを思い出します。

『学問のすゝめ』は全17編から成っています。書き出しはあなたもよく知っているでしょう。


「天は人の上に人を造らず人の下に人を造らずと言えり」（岩波文庫・初編）

あまりにも有名な一節ですね。しかしこの一節を読んで、人間はみな平等に造られているのだから、貧富の差や地位の上下があるのはおかしい、全部平等にすべきだという意味にとったのでは、福沢を誤解したことになります。

「広くこの人間世界を見渡すに、かしこき人あり、おろかなる人あり、貧しきも

あり、富めるもあり、貴人もあり、下人《げにん》もありて、その有様《ありさま》雲と泥との相違あるに似たるは何ぞや」（同初編）

人間は「生れながら貴賤《きせん》上下の差別」（同初編）がないはずなのに、現実の人間世界を見渡すとそうなっていません。その理由について福沢はこう述べます。

「実語教《じつごきょう》に、人学ばざれば智なし、智なき者は愚人なりとあり。されば賢人と愚人との別は、学ぶと学ばざるとに由《よ》って出来《いでく》るものなり」（同初編）

「実語教」は古くからある漢文で書かれた修身、つまり道徳の教科書のような本で、江戸時代に寺子屋で使われました。その「実語教」から「人学ばざれば智なし、智なき者は愚人なり」という言葉を引いて、賢人と愚人との差、貧富の差、上下の差などが生まれるのは、学問を修めているかどうかにかかっているのだ、と説いています。

福沢諭吉の言う「学問」とは？

では、福沢の言う「学問」とは何でしょうか。いわゆる「教養のための教養」とは違う実学です。実学というと、すぐに役に立つ学問のことが思い浮かびますが、福沢が言う実学は、決して実用一点張りの技術のことではありません。日常生活に役立つ知識や技術にとどまらず、地理学、究理学（物理学）、歴史、経済学、修身学などを身につけるべきだと言っています。

明治初期の時点ですでに科学的知識や思考が大切だとして、広く国民にこれらを学ぶよう勧めていることに驚かされます。そして、こうした学問をあらゆる国民が学ぶことによって、一人ひとりが独立し、国家も独立を保つことができると述べています。

当時の日本は、明治維新を断行して新しい国づくりを始めたばかりでした。その背景にあったのは、アジアに押し寄せてくる欧米列強諸国の脅威です。徳川幕府は滅亡して近代国家になったけれども、うかうかしていると国が危《あや》うい。そういう危機感を抱いた福沢は、早く国民に学問を身につけさせることが国家の独立には欠かせないと考えたのです。

また福沢は、一国のレベルは、そこに住む国民のレベルを反映したものだという認識を持っていました。国のレベルを上げるには、国民のレベルを上げなければいけないということです。政府のレベルが低いと言ってバカにするのは、天に唾《つば》するようなもの。福沢なら「国民のレベルが低いからそうなるのだ」と言ったでしょう。

「されば一国の暴政は、必ずしも暴君暴吏の所為《しょい》のみに非ず、その実は人民の無智をもって自《みずか》ら招く禍《わざわい》なり」(同二編)

「愚民の上に苛《から》き政府あれば、良民の上には良き政府あるの理なり。故に今、我日本国においてもこの人民ありてこの政治あるなり」(同初編)

まだ議会も開設されておらず、自由民権運動も始まっていない時期に、福沢はすでに民主主義の基本をしっかり押さえていたのです。

カント 著『永遠平和のために』

宇都宮芳明 訳
岩波文庫

高校生のときに挫折したカント

カントといえば、哲学史上に名高いデカンショの一人です。1724年にプロイセン(現在のドイツ)のケーニヒスベルク(現在はロシアのカリーニングラード)で生まれ、生涯のほとんどをこの街で過ごしました。40代半ばでケーニヒスベルク大学の教授となり、57歳で代表作『純粋理性批判』を著しています。

私は高校生のとき、無謀にもこの『純粋理性批判』に挑戦して、あっけなく挫折した覚えがあります。難解すぎてまったく歯が立ちませんでした。

ここで紹介するのは、カントが71歳のときに刊行された『永遠平和のために』です。岩波文庫は訳注や解説を入れても150ページに満たない薄さで、比較的読みやすく書かれた作品です（それでもかなり難しいですが……）。光文社古典新訳文庫から新訳も出ています。

日本は敗戦から70年以上にわたって平和を享受してきましたが、海外では世界大戦のような世界規模の戦争こそなかったものの、大小さまざまな戦争や紛争があちこちで絶え間なく続いてきました。

あなたが社会に出てどんな職業に就いたとしても、日本が平和でなければ安心して働くことも暮らすこともできません。日本がこれからも平和であり続けるにはどうしたらいいのか、またどうすれば世界平和を実現できるのか。そういった問題を考えるうえで『永遠平和のために』は一度は読んでおきたい古典です。

この本は、大きく二つの章から成り、第1章は「国家間の永遠平和のための予備条項」を、第2章は「国家間の永遠平和のための確定条項」を扱っています。平和な世界をつくるには、まず予備条項を整備し、その上で具体的な平和の条件を示す確定条項を実現しなければならないとカントは考えました。
予備条項としてカントは次の六つを挙げています。

「第一条項　将来の戦争の種をひそかに保留して締結《ていけつ》された平和条約は、決して平和条約とみなされてはならない」

「第二条項　独立しているいかなる国家（小国であろうと、大国であろうと、この場合問題ではない）も、継承、交換、買収、または贈与によって、ほかの国家がこれを取得できるということがあってはならない」

「第三条項　常備軍は、時とともに全廃されなければならない」

「第四条項　国家の対外紛争にかんしては、いかなる国債も発行されてはならない」

「第五条項　いかなる国家も、ほかの国家の体制や統治に、暴力をもって干渉してはならない」

「第六条項　いかなる国家も、他国との戦争において、将来の平和時における相互間の信頼を不可能にしてしまうような行為をしてはならない。たとえば、暗殺者や毒殺者を雇ったり、降伏条約を破ったり、敵国内での裏切りをそそのかしたりすることが、これに当たる」（以上岩波文庫）

カントがこのように厳密な条件を考えたのは、当時、プロイセンがフランス革命の激動期にあったフランスと結んだバーゼル条約（1795年）が、一時的な休戦条約にすぎず、恒久的な平和を約束するようなものになっていなかったからです。これでは平和は実現できないという憤《いきどお》りが背景にありました。カントが求めたのは、一時しのぎの平和ではなく、永続的な平和すなわち永遠平和だったのです。

六つの条項のどれももっともな内容ですが、2点、補足しておきます。

第二条項については、1910年の日本による韓国併合を思い浮かべればよいでしょう。他の独立国家をまるで物件のように扱い、自国の所有物にするようなことは、あってはならないということです。

第三条項については注意が必要です。これは国家の軍隊を全廃せよと言っているわけではありません。カントは「国民が自発的に一定期間にわたって武器使用を練習し、自分や祖国を外からの攻撃に対して防備することは、これとはまったく別の事柄である」（同）と述べて、防御的な軍隊については認めています。

カントが否定したのは、他国に脅威を与え、近隣諸国との軍備拡大競争につながるような軍隊です。ある国が軍事力を増強すると、周辺の国々が「わが国を侵略しようとしているのではないか」と疑いを抱き、それらの国も軍事力を強化して軍拡競争に発展してしまいます。すると、軍事費の負担が重荷となって、「この重荷を逃れるために、常備軍そのものが先制攻撃の原因となる」（同）と書いています。

民主政治と「自由な諸国家の連合」への期待

以上を踏まえて、カントは三つの確定条項を示します。

第一確定条項でカントが強調したのは、国家は「共和的」（同）であるべきだということです。この共和的とは、いまの言葉でいえば民主政治のこと。民主主義の下では戦争をするかどうかの最終決定権は国民にあります。戦争になれば、それに伴う犠牲や痛みを引き受けるのは国民自身なので、そう簡単に戦争はしないだろうというわけです。

確かに、現在、核開発とミサイル発射実験を繰り返している北朝鮮や、台湾への武力行使をほのめかし、南シナ海に人工島を作って軍事基地化を進めている中国は、どちらも事実上の一党独裁の国です。ウクライナからクリミアを奪ったロシアも事実上、プーチン大統領による独裁体制をとっています。独裁国家が民主主義国家になれば、戦争のリスクは低くなるはずです。

カントは、第二確定条項で「自由な諸国家の連合制度」(同)を挙げています。現在の国際連合を先取りするような提案で、これは驚くべき先見の明です。

すでに190カ国以上が加盟する国際連合ができているにもかかわらず、いまなお永遠平和は実現していません。永遠平和はまだ手の届かない理想なのかもしれませんが、理想を持たないことにはそこに近づくこともできないのです。

文部省 著
『民主主義』

径《こみち》書房

民主主義のほんとうの意味とは？

民主主義と聞いて、あなたはどんな言葉が頭に浮かびますか。国民主権、多数決、権力分立……といったところでしょうか。

「民主主義は政治のやり方を定めた形式的なもの、私たちの生き方とは関係ない」

そんなふうに思っている人は多いと思います。特に戦後、民主主義が当たり前の世の中に生まれ育った私たちは、そう考えがちです。

しかし、戦後まもなく文部省（現・文部科学省）が作った「民主主義の教科書」は、そうではないと言います。

「今の世の中には、民主主義ということばがはんらんしている。民主主義ということばならば、だれもが知っている。しかし、民主主義のほんとうの意味を知っている人がどれだけあるだろうか。その点になると、はなはだ心もとないといわなければならない」

「民主主義を単なる政治のやり方だと思うのは、まちがいである。民主主義の根本は、もっと深いところにある。それは、みんなの心の中にある。すべての人間を個人として尊厳な価値を持つものとして取り扱おうとする心、それが民主主義の根本精神である」

これは1948年から53年まで中学校と高校で使われていた文部省著作教科書『民主主義』の「はしがき」に出てくる文章です。

民主主義は単なる制度ではなく、一人ひとりが民主主義の根本精神を心に刻んで行動しなければ、本当の民主主義にはならない、と言っています。

当時は敗戦からまだ間もない頃です。日本は、過去の軍国主義と訣別《けつべつ》し、民主主義国家として生まれ変わろうとしていました。そのためには、これからの日本を担う若い人たちに、民主主義とはどういうものかよく理解してもらう必要がありました。

通常、教科書は教科書会社が作り、文部科学省の検定に合格したものが学校で使われます。このときは、教科書会社ではなく文部省自ら教科書を作りました。教科書には無味乾燥で通し読みには向かないイメージがありますが、この『民主主義』はひと味もふた味も違います。読み物として読んでおもしろく、読者をグイグイ引き込んでいく力があります。内容的にも長く読み継がれるだけの価値があり、現在、復刻版が径《こみち》書房や角川ソフィア文庫から出ています。

本文は全部で17章。最初に民主主義の本質について述べた後、民主主義発達の歴史、民主主義の制度・タイプの説明から始めて、民主主義全般をさまざまな角度から論じていきます。日本の民主主義の歴史を解説した章もあります。そこでは自由民権運動や明治憲法の制定、政党政治、日本の民主政治がどのようにして窒息《ちっそく》させられたかなどが解説されています。

言論の自由、メディアとの付き合い方

私が特に注目したのは、言論の自由を論じた箇所です。民主政治で言論の自由が特別な意味を持つのはなぜなのか。これについては、こう述べています。

「民主国家では、かならず言論・出版の自由を保障している。それによって国民は政府の政策を批判し、不正に対しては堂々と抗議することができる。その自由があるかぎり、政治上の不満が直接行動となって爆発する危険はない。政府が、危険と思う思想を抑圧すると、その思想はかならず地下にもぐってだんだんと不満や反抗の気持をつのらせ、ついには社会的・政治的不安を招くようになる。政府は国民の世論によって政治をしなければならないのに、その世論を政府が思うように動かそうとするようでは民主主義の精神は踏みにじられてしまう」（角川

ソフィア文庫）

実にもっともな指摘ではないでしょうか。

「報道に対する科学的考察」では、メディアとの付き合い方を説いています。新聞の社説の読み比べをして、どの新聞がどんな傾向を持っているか、「保守か、急進か」（同。いまならさしずめ「保守か革新か」「保守かリベラルか」といったところでしょう）を素早くつかみ、「それとは反対の立場の刊行物も読んで、どちらの言っていることが正しいか」（同）を見極めよと言っています。たまたま読んだ新聞や雑誌の論調を鵜呑《うの》みにするなということです。

「要するに、有権者のひとりひとりが賢明にならなければ、民主主義はうまくゆかない。国民が賢明で、ものごとを科学的に考えるようになれば、うその宣伝はたちまち見破られてしまうから、だれも無責任なことを言いふらすことはできなくなる。高い知性と、真実を愛する心と、発見された真実を守ろうとする意志と、正しい方針を責任をもって貫ぬく実行力と、そういう人々の間のお互の尊敬と協力と――りっぱな民主国家を建設する原動力はそこにある。そこにだけあって、それ以外にはない」(同)

「ひとりひとりが賢明にならなければ、民主主義はうまくゆかない」は耳の痛い言葉ですね。私たちが政治を批判するのは簡単ですが、批判する私はどこまで賢明なのかが問われるからです。

出口治明　著
『人生を面白くする本物の教養』

幻冬舎新書

知識＝教養ではない

出口治明《でぐちはるあき》さんは、日本生命に長く勤め、退職後に還暦でインターネット専業の生命保険会社を開業した実業家です。本書が幻冬舎から出版されたのは２０１５年。当時は代表取締役会長兼ＣＥＯでしたが、古希《こき》を迎えて経営の一線から退《しりぞ》き、２０１８年に別府にある立命館アジア太平洋大学（ＡＰＵ）の学長に就任しました。

ＡＰＵは学生の半分、約３千人が留学生という国際的な大学です。しかも90ほどの国・地域から学生を受け入れており、同じ内容の講義を英語と日本語で行うという型破りな教授法でも知られています。

出口さんの学長就任の経緯もユニークでした。APUは新しい学長を国内外から公募したのです。公募には他薦も含まれます。出口さんは自ら立候補したわけでもないのに複数の人から推薦され、最終選考に残り、とうとう第4代学長になってしまいました。周囲をあっと驚かせた教育界への華麗なる転身です。APUの関係者は「賢者到来」と喜んだそうです。

この本を読むと、教養人とはこういう人を言うのだろうと思うほど、話題の引き出しが豊富でロジックも明晰《めいせき》です。教養を身につけると、人生がおもしろくなるのはもちろんのこと、世の中の出来事の一つ一つについてしっかりと自分の考えを持てるようになることがわかります。

出口さんは、教養を論じるにあたり、ある印象的な言葉を紹介することから始めています。それはシャネルの創業者ココ・シャネルが語った次のような言葉です。

「私のような大学も出ていない年をとった無知な女でも、まだ道端に咲いている花の名前を一日に一つぐらいは覚えることができる。一つ名前を知れば、世界の謎が一つ解けたことになる。その分だけ人生と世界は単純になっていく。だからこそ、人生は楽しく、生きることは素晴らしい」(『人生を面白くする本物の教養』)名言ですね。

この言葉について出口さんは「人間は何歳になっても世界を知りたい、世界の謎を解きたいという気持ちを持っている」とし、「そうした気持ちのあり方がその人の教養を深める強力なエンジンとなる」と述べています。

教養とは、「人生におけるワクワクすること、面白いことや、楽しいことを増やすためのツール」です。これこそが教養の本質であり核心であるというのが出口さんの見方です。

そして知識は大切だとしながらも、知識＝教養ではないと言います。

「教養を身につけるには、ある程度の知識が必要です。教養と知識は、不可分の関係にあると言っても間違いではありません。しかし、勘違いしてはいけないのは、知識はあくまで道具であって手段にすぎないということです。決して知識を増やすことが目的ではありません」(同)

では、知識を教養レベルに高めるにはどうしたらいいのか。それには「自分の頭で考える」ことが大切で、それこそが教養のもう一つの本質だと言っています。

いくら知識を大量に仕入れても、「自分の頭で考える」ことをしなければ、知識に振り回されるだけです。ある人の本を読んでなるほどと思い、それと反対意見の人の本を読んでまたなるほどと思っていたのでは、いつまでたっても自分独自の意見は形成されません。

本をじっくりと読み、その内容について自分の頭で考えてみる。

「腑《ふ》に落ちる」までとことん考える。この「腑に落ちる」という感覚が大事だというのです。

「広く、ある程度深い」を目指す

教養はいくつになっても、たとえ年をとってからでも身につけられますが、やはり若いうちから努力を重ねたほうが、深くて豊かな教養が身につきます。グローバルに活躍している外国のトップリーダーの多くは、マスター（修士）やドクター（博士）の学位を持っています。彼らは文学、美術、音楽、建築、歴史などにも造詣《ぞうけい》が深いのに、日本の政治家や経営者などのリーダー層は、教養の点でかなり見劣りすると出口さんは嘆きます。圧倒的に勉強が足りないというのです。

確かに国会での政治家同士の論戦などを聞いていても空しさを覚えます。問いかける方も答える方も、話し方から教養がにじみ出てくることがないからです。かつて東京オリンピック・パラリンピック担当大臣が「オリンピック憲章」を読んだことがないと国会で平然と答弁していました。あの時は腰を抜かしそうになりました。もっとも、これは教養がないというよりも常識がないと言ったほうがいいのかもしれません。

残念ながら企業経営者も似たり寄ったりというのが、日本の悲しい現状です。経営者がそうなので、日本の学生もあまり勉強しません。単位さえ取れればいいと考えている学生が多すぎます。海外の若者とはすでに大学の段階で差がついていると出口さんは指摘しています。私も同感です。

とはいえ、出口さんも最初から教養人だったわけではありません。海外で仕事をする中で、ビジネスリーダーたちが専門分野を持ちながら、それ以外にも「広く、ある程度深い」素養を身につけていることに驚かされ、彼らに触発されて学び続けた結果、いまや自他ともに認める教養人となったのです。

教養の有無は、時としてビジネスの結果を左右することがあります。こんなエピソードが載っていました。

英国で仕事をしていたとき、相手に「シェイクスピアは全部読みました」と言ったら、「おまえはいい奴だな」と急に心理的な距離が縮まり、結果的にその相手から仕事をもらうことができたそうです。出口さんは専門の日本の経済や金融についても詳しかったはずです。でも、それだけでは何かが足りなかった。その足りない部分をシェークスピアが埋めてくれたのです。教養があれば、相手から一目《いちもく》置かれ、その人との関係も深まります。それが仕事上の成果につながることがあるのです。

教養人になるために、誰もがシェークスピアを読まなければいけないというわけではありません。自分が興味を持てる分野から始めて、少しずつ領域を広げていけばいいのです。出口さんの言う「広く、ある程度深い」がキーワードです。出口さんはこうも書いています。

「『ブラームスの何番が好き?』と尋ねられて、答えられなかったら、その時点でアウトです。逆に『僕は三番が好きだなぁ』とか、あるいは『ブラームスには興味はないがビートルズなら』と答えられれば、『ほお、面白い人だな』と(なります)」(同)

相手に合わせるのが難しいときは、相手を自分の土俵に引っ張り込むのが出口流です。自分の土俵が多ければ多いほど、人間関係に広がりが出てきます。

出口さんは何事も体験に基づいて書いていますが、特に「自分の頭で考える」ことについては、時事問題を例に「自分ならこう考える」という一種のお手本を示してくれています。取り上げたのは消費税増税、少子高齢化、年金、領土、歴史認識、原子力発電、地球温暖化など、文字どおり旬《しゅん》のテーマです。出口さんのメリハリのきいた問題の整理の仕方、答えの導き出し方も参考になるでしょう。

5章
生きることは学び続けること
――なぜ、私が学び続けるのか

そもそも人間って、どういうものだろうか

読者の中には、将来、学校の先生になりたいという人もいるでしょう。学校の先生になるためには、学校教育に関するさまざまな知識や児童・生徒の指導法を学ぶ必要があります。でも、それだけで果たして十分でしょうか。一番大事なことはもっとほかにあります。そもそも子どもって何だろうか、人間って何だろうか、ということを知ることとです。人間とは何かという深い洞察力があってこそ、先生はその時々でふさわしい行動をとることができるのです。

学校の先生になれば、子どもたちの指導に手を焼いたり、モンスターペアレントへの対応に悩まされたりと、思い通りにならないことが山ほど出てきます。そんなときに、人間とは一体どういう存在かということを知っているのと知らないのとでは、相手の反応がまったく違ったものになります。

そもそも人間とはどういう存在なのか。それを知っているか否かで大きな違いがあ

るのだということです。

たとえば、授業中に生徒が「トイレに行きたい」と言ったとき、あなたが先生ならどう対応しますか。無条件で生徒を尊重して「それは大変だ。早く行ってきなさい」と言ったとしましょう。すると、「トイレに行きたい」と言う生徒がほかにも出てくるかもしれません。あなたは、一人に許可した以上、他の生徒にも許可しないわけにはいかなくなります。結果として、授業中にトイレに行く子が何人も出てきて、そのたびに授業が中断して、クラスは落ち着きを失ってしまいます。もっとひどくなると、今度は授業と関係のないことを生徒たちが勝手にやり始めるでしょう。授業中にトイレに行くのを認めた、そんな些細《ささい》なことがきっかけで、ついには学級崩壊が起きてしまうことだってあるのです。

では、どうしたらいいか。「トイレに行きたいなら行ってもいいけど、あくまで例外だよ。トイレは休み時間にちゃんと済ましておくんだよ」と言えばいい。原則と例外の区別を明確にしておくのです。そうすれば、授業中にトイレに行きたいと言う生徒が次々に出てくるようなことにはならないはずです。

一人に許可すれば、ほかの子が「自分だって許可してもらえる」と思うのは自然なことです。もし許可しなければ、「なぜあいつは許可されたのに、自分はダメなんだ」と不満を持つ子が出てきます。平等に扱われていないと感じるのです。人間とはそういう捉え方をするものだと知っていれば、授業中トイレに行きたいと言う生徒に、無条件で「行っていいよ」と言うのは、決して賢明な指導法ではないことがわかると思います。

人間がわかっていないと、AIも役に立たない

そもそも人間とはどういう存在なのか。このことをわかっていないとAI（人工知能）も役に立たないことがあります。最近はAIがにわかに脚光を浴び、AIに関するニュースが格段に増えていますね。確かにAIによってこれからなくなっていく仕事はかなりあると思いますが、だからといってAIが万能かといえば決してそんなことはありません。

たとえば1983年、アメリカでレーガン大統領（在任1981〜89）の時代に「危機に立つ国家」という報告書が公表されました。これはアメリカ政府の「すぐれた教育に関する全国審議会」がまとめた報告書で、アメリカの若者の学力が右肩下がりで低下しているという実情を告発したものです。この報告書は全米で大反響を巻き起こし、大きな問題になりました。

報告書が使ったデータはSATという大学進学適性試験の成績です。アメリカでは大学を受験するときは、このSAT――日本でいえば大学入試センター試験のようなものです――という民間団体が主催する試験を受けることになっています。年に何回も実施されており、受けた中で一番いい成績を大学に提出します。大学側はこのSATで受験生の数学と英語の力を見て、さらにエッセイといわれる小論文、学校の先生や関係者の推薦状、この三つで入学者を選抜するのが普通です。

そこで「すぐれた教育に関する全国審議会」がSATを過去にさかのぼって調べたところ、その平均点数が年を追うごとに下がっているというデータがまとまりました。

このことが報道されてから、大変だ、何とかしなければいけないと大騒ぎになったのです。

ところが、最近になってある人がこの「危機に立つ国家」の再検証を試みました。その結果、思いもよらないことがわかりました。

確かに1980年までSATの平均点は下がり続けていました。その一方、大学進学率は上昇を続けていたのです。

かつてはアメリカでも大学に進学する人は限られていました。みんながみんな大学に行っていたわけではありません。変化が起きたのは、大学が増えてきて、アメリカ人の家庭にも経済的なゆとりが生まれたからです。次第に大学進学率が上がっていきました。以前なら大学に行くなんて考えたこともなかったような人たちが大学を受験し、大勢の人がSATを受けるようになりました。それとともにSATの平均点も下がっていきました。

つまり、SATの点数が下がっているというデータに間違いはなかったのですが、その解釈が間違っていたのです。学力が下がったのではなく、大学が大衆化して多くの人が大学に行けるようになった結果、平均点が下がっただけだった、というのが真相です。となると、あのときの大騒ぎは一体何だったんだろうということになりますね。

レーガン政権の教育改革は正しかったのか？

1980年代のアメリカ政府は、報告書をもとに教育改革を断行し、生徒の学力が下がっているという前提でさまざまな対策を打ち出しました。特に首都ワシントンの子どもたちの学力が低いとされ、これは先生の教え方が悪いからだろうということで、生徒の成績が上がらなかったら先生をクビにするという恐るべき改革が実行に移されました。

小学校や中学校ではテストを行います。たとえば1年間ないし3年間、それぞれの生徒の成績の推移を見て、もし学力が上がらなかったらその責任は先生にあるとみなされます。首都ワシントンでは、学校の先生全員に1位から最下位まで順位を付け、下から5パーセントを機械的にクビにするというやり方をとりました。ずいぶん乱暴なことをしたものです。

これをやっていたところ、教え方が上手で保護者からも感謝されていたある中学校の先生が、突然クビを宣告されました。その先生は納得がいかず、自分がなぜ下位5パーセントに入ったのか皆目見当《かいもく》がつきません。そこで教育委員会になぜ自分がクビになったのかと問い合わせました。すると、「AIでアルゴリズムを使っているから理由はよくわからない」と言われたそうです。

アルゴリズムとは、コンピューターやAIを動かすソフトのようなものです。たとえばグーグルの検索がそうですね。グーグルで何か言葉を入れて検索すると上位から順番に表示されます。あの順番はランダムではなくて、一定のアルゴリズムに基づいて決められています。アルゴリズムを決めているのはグーグルですから、ずっと続けていると、あるとき順番が変わることがあります。これで「あっ、グーグルがアルゴリズムを変えたんだな」とわかるわけです。

そのようにAIの専門家が、教員の質を上げるために、成績の悪い下から5パーセントの先生をクビにするというアルゴリズムを作りました。ところが、作ってもらった教育委員会はその分野の専門家ではないので、アルゴリズムのことがよくわかりません。「専門家が決めたアルゴリズムだからこれで問題ない」と言われ、その先生は復職できませんでした。いくらそう言われても当人は納得がいきません。どうしてなんだろうと思っていたら、しばらくしてその中学校に進学してくる小学校の生徒たちの答案用紙に大規模な改ざんが見つかりました。

その小学校の先生たちは、教えている生徒の成績が上がらないと自分たちがクビになると考えました。そうならないように、試験のとき、子どもたちの答案用紙の間違っているところを消して正しい答えに書き直し、小学校の6年間で学力が上がっているかのようにデータを捏造《ねつぞう》していたのです。

その結果、学力が不十分なのに、書類上は成績が良いという子どもたちが中学校に入ってきました。そうとは知らない先生は、一生懸命生徒たちを教えて、その上で評価は公正に行いました。当然、もともと学力の低かった子は低い評価になります。これは当たり前ですね。小学校で成績が良かったというのがウソで、中学校で下がってしまった成績がその生徒の本当の学力だからです。

その先生は真面目に授業をして成績評価も正しく行ったのに、データの上では小学校から入ってきた生徒たちの学力は下がってしまいました。それゆえこの先生はアルゴリズムで機械的に能力がないと判定され、クビを宣告された、ということが後からわかりました。

結局、その先生は公立学校を去りましたが、あまりにも評判がいいので、レベルの高い私立の学校に就職することができたそうです。ただし、公立学校を不本意なかたちで辞めさせられたことに変わりはなく、手放しで喜べる話ではありません。

このようにみてくると、ＡＩを作り、アルゴリズムを作った人は、人間のことがわかっていなかったと言えます。「生徒の学力が上がらなければ先生がクビになる」ということになったら、先生は一体どういう行動をとるだろうかというところまで洞察力が及ばなかったのです。結果的に、このアルゴリズムは大失敗に終わりました。

いかに人間性を洞察する力が必要かということをこの事例は教えてくれています。人間とはどういうものかがわかっているかどうかは、教育改革の成否をも左右するのです。人間性を洞察する力をつけるには、リベラルアーツ教育が大切だということも、ここからわかりますね（以上はキャシー・オニール著、久保尚子訳『あなたを支配し、社会を破壊する、AI・ビッグデータの罠』による）。

教養があるとは、どういうことか

最近は英語教育が非常に大事だという声が強くなってきました。小学校では2020年4月、3・4年生の英語教育が始まります。

「日本の英語教育はダメだ」と言っているのはどういう人か。その多くは世界で活躍している官僚や企業経営者たちです。彼らが海外へ行くと、自分が全然英語が話せなくて愕然としたという経験をすることになります。そこで「日本の英語教育はどうなっているんだ」と文句を言うので、小さい頃から英語学習をやるべきだ、もっと英語教育に力を入れるべきだという風潮が高まってきました。

海外に行くと国際会議がありますね。会議が終わり夜になると必ず立食パーティーが開かれます。出席する人たちはみんな英語で会話しますが、そこでは昼間の仕事の話はしないというのが暗黙のルールです。そういう無粋《ぶすい》なことはしてはいけないとされています。仕事とはまったく関係のない、出席者個人の趣味や関心のあることについて自由に語り合う。それが夜の立食パーティーです。

そのときに、多くの日本人は“How do you do? Nice to meet you.”と言った後、その後が出てきません。言葉に詰まってしまいます。そんな経験をして「ああ、日本であれだけ英語教育を受けてきたのに、いざとなると話せない。日本の英語教育が問題だ」と怒り出す人がいますが、これは大きな勘違いです。

彼らは海外の国際会議に出るくらいですから、英語はそれなりにできます。それなのに夜の立食パーティーで話ができないのは、英語で話すべき内容を持っていないところに問題があります。話すべき内容がないので、外国人と会話を楽しむことができません。すでにお話ししたように、アメリカの大学は4年間、徹底的にリベラルアーツを教えています。アメリカのエリートたちは大学時代に深い教養を身につけているので、夜の立食パーティーでは、みんな絵画やオペラ、シェークスピアなどの文学について滔々《とうとう》と語り合っています。海外ではごく普通に見られる光景です。

ところが、ひたすら受験勉強に明け暮れてきた日本のエリートたちは、教養なんて大学受験に関係ない、受験に関係ないことはしないという態度が染みついています。大学に入ってからも、教養科目は単位だけ取れればいいと考える学生が多く、教養らしい教養を身につけて社会に出る人は少ないのが現状です。これでは海外のエリートたちと交流しても、まともな会話はできません。英語ができないのではなくて、英語で話すべき内容を持っていない。その方がよほど大きな問題です。

必要に迫られれば、いくらでも英語は話せるようになります。私も決して英語がうまいとは言えませんが、海外に行くと、とにかく取材をしなければいけないので必要に迫られて英語を使います。そんなとき、質問すべき内容や話すべき内容があれば、会話は成立するものです。

あなたもグローバルな世界で活躍しようと思えば、英語は必須です。しかしそれ以上に大事なことは、英語で語るべきものを持っているかどうかです。ここで決定的な違いが出るということを知っておいてください。リベラルアーツを学ぶ意義はそういうところにもあるのです。

日本は高等教育・大学教育を自国語で受けられる稀有《けう》な国

いま「必要に迫られれば、いくらでも英語は話せるようになります」と言いましたが、これは逆に言うと、必要に迫られないとなかなか話せないということでもあります。中学・高校と学校でたっぷり英語を習い、大学受験でも英語は重要科目なので受験生は英語を一生懸命勉強します。そのおかげで英語を読むことはできるようになりますが、英会話は苦手で、入門かせいぜい初級レベルにとどまっている人が多いのではないでしょうか。

しかし、同じアジアの国でも、シンガポールやフィリピンの大学生はみんな英語がペラペラです。なぜ彼らにできることが日本人にはできないのか？　不思議といえば不思議です。

フィリピンの場合は、母国語がタガログ語です。ところが、タガログ語では学術的な研究ができません。タガログ語には学術用語がないからです。結局、英語で学ぶしかないということになります。シンガポールも同じです。自国語に学術用語がないので、それがある国の言葉、すなわち英語で学ばざるをえないのです。

日本は明治に入ると海外から大学の先生を大勢呼んできて、彼らお雇い外国人が大学の教壇に立って英語やドイツ語で授業を行いました。最初のうちは日本人も懸命に外国語を学んでいましたが、そのうちにこれを一つ一つ日本語に訳していこうと考えるようになります。明治の知識人たちは、海外の学術用語を日本語で理解できるように、用語の意味を慎重に見極めながら日本語に置き換えていきました。

たとえばphilosophyは「哲学」と訳し、economyは「経済」と訳しました。この経済は、もともと中国に「経世済民」という言葉があり、これが「世の中を治め、人々を幸せにする」という意味だったことから、4文字を2文字に縮めて経済としたものです。このとき、福沢諭吉は別の案を出しています。福沢は「理財」と訳しました。財産をどう管理するかという意味にとって理財としたのです。明治初期の時点では、economyには経済と理財の2通りの訳がありましたが、やがて経済のほうに軍配が上がり、いまでは経済という訳が定着しています。

このように日本では、主な学術用語を全部日本語に置き換えてしまいました。そのおかげで、日本人は高等教育や大学教育を自国語で受けることができます。フィリピンやシンガポールの人たちのように英語をマスターしなくても、十分学問ができるのです。

欧米の人たちは、いまでも「日本の大学では何語で授業しているの?」と聞く人が時々います。日本語で授業をしていると言うと彼らはビックリした顔をします。「英語じゃないのか、ドイツ語じゃないのか、フランス語じゃないのか」と聞いてくるので、何を言っているんだろうかと思ってしまいますね。

明治の人たちが外国語を一つ一つ日本語に置き換えてくれたので、私たちは日本語で学術研究ができるようになりました。ハイデッガーであろうがデカルトであろうが、みんな日本語で読むことができます。これは世界に誇ってもいいことです。

外国語の受容は一つの例にすぎませんが、日本人はこのように海外から流入したものを日本式に直して、上手に取り込んでいく能力に長《た》けているのです。

日本は江戸時代には、すでに世界有数の文明国だった

中東に行くと、ここもアジアなのだと気づかされます。中東の人たちは、自分たちが西アジアに住んでいると思っています。西アジア。私たちには中東がアジアという自覚はほとんどないのですが、地理的にみると中東は西アジアになります。そのため、中東の経済的に発展途上にある国の人たちは、同じアジアの国だから日本がお手本だと日本のことを評価してくれます。

「日本は明治維新以来、急激に成長し、先進国の仲間入りをしました。私たちもそれを目指します」

と彼らは言います。

そのときに、私は「頑張ってくださいね」と応じますが、心の中では「あのね、それはそうだけどさ。日本は別に明治維新から急激に成長したわけじゃないんだよね」とつぶやいています。

日本は江戸時代に全国各地に寺子屋が広まって、一般庶民の子どもたちがそこで教育を受けていました。ある調査によると、江戸時代末期にあった全国の寺子屋の数は現在の日本の小学校の数と大差ないそうです。それくらい多くの寺子屋があり、少なくとも読み書きそろばんはできていました。日本人の読み書きできる能力は極めて高く、当時、イギリスと日本が世界でトップレベルだったといわれています。

その土台があったので、徳川幕府が倒れた後、明治新政府が、日本はこれから欧米列強に負けないように産業を振興し、軍事力を強化するという方針（富国強兵策）を掲げたとき、多くの国民はその意味するところを理解できました。政府の方針が国民に浸透したのは、みんなが読み書きできたからです。そして国民一丸となって努力した結果、日本は大きく発展できました。

外国の人から見ると、明治になって開国し、そこから日本が大きく成長したように見えますが、実はそうではありません。江戸時代、すでに日本は世界でも有数の文明国であり、豊富な知識を蓄《たくわ》えていました。だからこそ明治に入って一気に発展したのです。

そんなわけで、中東やアフリカの人たちが「日本を目指します」と言うと、頑張ってねと思う一方、いやいや、日本はもっと前から教育先進国だったんですよと言いたくなってしまいます。

また、日本は海外から文物を受け入れるに際し、日本独特のオリジナルなものを持っていました。そういうオリジナルなものがあったので、外国の言葉をそのまま使わないで全部日本語に置き換えることができました。

時代をもっとさかのぼれば、漢字は中国から入っています。私たちの先祖はその漢字を使って日本語を書き表せるようにしました。このやり方も極めて独創的です。漢字を崩してひらがなにし、偏《へん》や旁《つくり》を取ってカタカナを作り出しました。日本独特のオリジナルなものを持ちながら、海外から輸入したものをそのまま使うのではなくて、日本風にリメイクして新しいものを生み出しています。

こういうところにも、日本が極東の小国でありながら、今日ここまで発展してきた理由の一端が見てとれます。

開発途上国での女子教育の重要性

これまで私はさまざまな開発途上国に行って教育の実情を見てきました。世界には学ぶ環境が整っていない国や地域がたくさんあります。学びたくても学べないで苦しんでいる人たちの姿を見るにつけ、教育がいかに大事かということを何度も痛感させられました。

ネパール西部の山間部に行ったときのことです。ネパールは大土地所有制をとっています。大土地所有制とは、農地のほとんどを大地主が所有し、農民は小作農として働くシステムのことです。小作農にとって農地は借り物であり、地主に高額の小作料を払って農地を耕しています。

戦前の日本もそうでしたね。戦争に負けた結果、農地解放が行われ、大地主制度が解体されました。それによって小作農は一人ひとり農家として独立することができました。日本は戦争に負けて大土地所有制度がなくなり、平等な社会が実現したのですが、ネパールでは今でも大地主が農地の大半を所有しています。

小作農の暮らしは貧しく、生活が苦しくなると大地主から借金をします。しかし返すことができません。仕方なく借金のかたに娘を大地主の家に送り、お手伝いさんや家政婦として働かせます。こういう風習がずっと続いてきました。

娘はだいたい9歳になると親元を離れて奉公先の大地主の家に行き、朝から晩まで働きづめに働きます。家の人たちよりも早く起きて朝食の準備を済ませ、朝食が終わると主人の子どもたちを学校に送っていきます。自分は学校に行くことができません。家に戻ってまた仕事です。そうやって一日中働くので勉強は一切できないのです。そういう女性たちがネパールの農村部には大勢います。

その人たちを救い出すために活動しているNPO（特定非営利法人）の団体を取材しました。そこで、そのNPOによって救い出されたある女性にインタビューすることができました。

彼女は18歳でようやく悲惨な境遇から抜け出して、それから読み書きを学びました。18歳にして初めて読み書きができるようになったそうです。

「そのとき、一番うれしかったことは何ですか」と聞くと、「初めて自分の名前が書けたときです」と話してくれました。

あなたは幼稚園や保育園の頃から、あるいは小学校に入る前から読み書き、少なくとも自分の名前は書けていますよね。自分の名前が書けたときの喜びなんてもう覚えていない人がほとんどでしょう。そんなことは当たり前だという感覚しかないと思います。

ところが、ネパールのこの女性は違います。18歳になって初めて自分の名前が書けて、「ああ、私は本当に世の中に存在しているんだと思った」と言っていました。この女性にとっては、自分がかけがえのない存在だということが自覚できた瞬間だったのです。読み書きができるというのは、なんと素晴らしいことでしょうか。

粉ミルクを水たまりの水で溶いて飲ませている現実

パキスタンの農村部で女子教育に熱心に取り組んでいる日本の女性がいると聞いて、

その活躍ぶり、仕事ぶりを見に行ったことがあります。

パキスタンの農村部は非常に封建的なところです。女に学問はいらないという考えが支配的で、女性は学校に行かせてもらえません。そんな中でいくら「女性にも教育が必要なんです。学校に行かせてください」と訴えても白い目で見られるだけなので、彼女は村の長老に掛け合うことにしました。

封建的な農村部には、それぞれの村に村の長老といわれる人がいます。村の長老がいいと言えば、「長老が言うなら」ということで村人たちはみんな従います。そこでいきなり村の長老を訪ねていき、説得に努めました。

「女性たちにも教育が必要です。是非私の学校、学校といっても塾のようなものですが、そこに通わせてください」

こう言って、彼女は長老たちにお願いして回りました。

すると、中に「まあ、いいだろう」と言ってくれた長老がいたそうです。長老の同意を得られた村では、女の子たちが学校に通うようになりました。そこである変化が起きます。

彼女の学校に自分の娘を送った親は、初めは女に教育なんか必要ないと思っていたのです。ところが、その子が学校に通っているうちに読み書きができるようになりました。読み書きができるようになって何が起きたのか。その家には毎月、電気代の請求書がきていましたが、両親とも読み書きができないので請求書がきても読めません。それまでは電気代の請求書がくると、いちいち別の読み書きができる人のところに行って何が書いてあるのか教えてもらっていました。ところが、娘が突然、これはこういうことが書いてあって、これだけお金を納めればいいんだよと言ってくれるようになったそうです。

こうなると親の見方も変わります。「ああ、娘が勉強するとこんなにいいことがあるのか」と実感した親たちは、今度は積極的に「どんどん勉強しなさい」と言うようになりました。

こうやって女性たちが読み書きができるようになると、次は社会全体にも大きな影響を与えます。

食べ物一つとっても、袋や瓶《びん》や缶などに注意書きが書かれていますね。正しい食べ方であるとか、こういう使い方をしてはいけないとか、そういったことです。しかし大事なことが書かれていても、読み書きができない人にとっては何の意味もありません。注意書きを無視すれば、病気になったり、場合によっては死が待っています。

たとえば、母乳が出ない女性は粉ミルクをお湯で溶かして赤ちゃんに飲ませます。あなたにとっては、そのお湯は清潔なお湯でなければいけないということは当たり前のことですよね。でも、粉ミルクの使い方を知らない途上国の人たちは、注意書きを読めないので、その辺にある水たまりにある水を汲《く》んできて、それで粉ミルクを溶かして乳幼児に飲ませたというのです。そのせいで乳幼児が次々に下痢《げり》で死んでいくという現実があります。

東南アジアやアフリカで多くの乳幼児が死亡しています。主な原因は単純な下痢です。そのように下痢によって脱水症状を起こして死んでいく子どもたちが大勢いたのに、母親が読み書きができるようになったとたん、乳幼児の死亡率が急激に下がりました。

途上国では子どもの数が多いのはご存じだと思いますが、なぜ子どもの数が多いのか。それは死亡率が高いからです。自分の子どもを何とかして残したい。1人でも2人でも残したいと思う。それには、10人ぐらい産んで育てれば、そのうち何人かは生き延びてくれるだろうと考えるので、貧しければ貧しいほど出生率は高くなります。

生まれた子どもは必ず成長していくということであれば、何も10人も産む必要はないわけです。もっと少ない人数を、じっくり育ててきちんと教育すればいいと考えるようになります。

女性が読み書きができるようになれば出生率は下がり、女性に対する負担も減ります。

いかに女性の教育が大事かということが、ここでもわかると思います。

学ぶとは、決して人に盗《と》られることのない財産

フィリピンでは、スラム街に住む子どもたちに出前授業をしようとしている若者を取材しました。

首都マニラ郊外には、ゴミ捨て場のすぐそばにスラム街ができていました。子どもたちは学校に行かず、日がな一日そのゴミ捨て場で金目のものを探しています。空き缶や空き瓶を拾い集めて業者に売ると、一日中働けば日本円で10円ぐらいにはなるそうです。そのお金が貴重なので、子どもたちはひたすらゴミ捨て場で働いています。誰も学校に行きません。

彼がいくら「学校に行きましょう」と呼びかけても反応がない。それならということで、教科書や参考書をリヤカーに積んで、スラム街のゴミ捨て場の近くに運んで行って子どもたちに教え始めました。最初は誰も来てくれません。そこで「私の授業を聞いてくれたらご褒美《ほうび》に飴《あめ》やお菓子をあげますよ」と言って、参加を呼びかけました。これは効果があったようで、次第に子どもたちが集まってきました。そのうちに勉強が好きになる子が出てきて、とうとう学校の先生になってしまったという人まで出てきました。

私はその人に話を聞きました。「もしあなたがそこで勉強していなかったら、いまごろどうなっていたと思いますか」と聞いたら、「きっとスラム街の中のギャングの抗争事件で殺されていたと思います」と言っていました。

その人は、出前授業のおかげで読み書きができるようになり、いろいろなことを学ぶことができて、ついには学校の先生になることができました。そこで、「ではあなたにとって学ぶということはどういうことですか」と聞いたのです。彼はこう言いました。

「それは決して人から盗まれることのない財産です」

何しろスラム街で生まれ育った人です。金目のものを持っていたらすぐ盗《と》られてしまいます。盗られるだけならまだいいほうで、それを奪われたあげく殺されるかもしれない。

しかし、学んだことは絶対人に盗られることはありません。

学ぶということは決して人に盗られることのない財産です、というのは、スラム街のようなところで暮らしてきた人でなければ出てこない言葉です。

「そうか、学ぶとか教育とかいうのは、そういうことなのか」と思ったものです。

学校で学ぶということは、親からの遺産相続を受けている

学校で学べるのは、とても幸いなる人たちです。経済的にみれば、親はいろいろな事情を抱えているはずです。大金持ちの家庭もあるでしょうし、そうでない家庭もあるでしょう。

あなたたちが、将来、親の遺産を相続して受け取れるかどうか。これも個々の家庭の事情によって違います。相続財産がどれだけあるかも人によってさまざまです。

でも、あなたたちは学校で学ぶことによって、人に盗まれることのない財産を蓄積しているのです。ということは、親が学費を出してくれていれば、それがあなたたちにとっての親からの相続になるわけです。

親がそんなに裕福ではない。遺産もそんなにないかもしれない。でも学校で学んだことは、決して盗まれることのない財産になる。これは素晴らしいことではないでしょうか。大学に通っている人は、親からの遺産相続を4年間かけて受けているんだと

考えてみてください。

特に、女性たちがしっかりとした読み書きや世の中を知る力を身につけると、これによって世の中が大きく変わることがあります。大学で学ぶことには、そういう意味があるんだということを是非知ってほしいと思います。

たとえ「就職のための学び」でも、教養を深める学びはある

大学での学びが重要だとしても、現実問題として大学生には就活という大きな課題があります。3・4年生になると、自分が一生勤めることになるかもしれない会社や組織を決めるという切実な問題に直面します。国家資格を取るために1年次から準備しているという人もいるでしょう。これは要するに、大学が一種の就職予備校と化しているということです。

そんな環境では、「教養を身につけるために学んでいる時間はない。それよりも就職に役に立つ知識を身につけるのが先決だ」と考える人が出てくるのも仕方のないこと

です。

しかし、大学が就職予備校と化しているから教養としての学びは必要ないかといえば、そんなことはありません。就職活動に真剣に取り組めば取り組むほど、決して表面的な知識やノウハウだけで第一志望の会社に就職できるほど甘いものではないことがわかるはずです。30社、40社受けても内定をもらえない人もいますし、難関を何度もくぐり抜けて第一志望の最終面接までいったのに、最後の最後で落とされる人もいます。

企業の側は、あらゆる角度からその人物の真の姿を見極めようとするので、それこそ一夜漬けで獲得したような知識やノウハウはすぐに見破られて役に立たないのです。そこでものをいうのは、その人に備わった本物の教養です。

では、忙しい就職活動の中で、そうした教養を少しでも身につけていくことは可能でしょうか。私は可能だと思っています。たとえば作文力。小論文対策として、作文力や文章力を磨いておくことは大事ですね。何をどう書くかということでは、特定のテーマについて通り一遍の知識を仕入れて書くのと、それについて興味や関心のおもむくままに深く学んでから書くのとでは、おのずと論文の質が違ってきます。

面接対策もあります。それにはプレゼンテーション能力を高めなければいけませんが、その前に、自分は一体何者なのかをよく知る必要があります。自己分析によって自分の良さや魅力は何かを知り、それを伸ばしていくにはどうすればいいかを考える。逆に自分に欠けているもの、自分の弱点を見つめて、それを補ったり克服したりするにはどうすればいいかを考える。考えるだけでなく、実際に行動に移して自分の幅を広げていく。そういうこともまた深い学びにつながるものだと思います。

自分の弱点として「これまでろくに本も読んでこなかったなあ」と思った人は、この際、古今東西の古典の中からこれはという作品を選んで読んでみるとよいでしょう。そこから何か大きなものが得られるかもしれません。

面接では、どういう質問が投げかけられるかによって、その会社がどんな人材を求めているかを知ることができます。面接担当者が何を聞こうとしているかによってその担当者のレベルがわかり、その企業がどういう企業かということも、たぶん見えてくるはずです。面接は自分がふるいにかけられる場であると同時に、面接を受ける側が企業をふるいにかける場でもあるのです。世間的には人気のある会社でも、面接を受けてみて「ここはやめておいたほうがいいな」と思うこともあるものです。そういう人を見る目、会社を見る目をつけておくと、その能力が将来、きっとどこかで役に立つことでしょう。

雇用システムは日本社会でどんな役割を果たしているか

就職の準備をするなかでも、自分の教養を深めることはいくらでもできます。たとえば、日本はこれまで新卒一括採用が基本でしたが、最近、経団連（日本経済団体連合会）が通年採用にしようと突然言い出しました。明らかに日本の雇用システムが変化を遂げようとしています。つまり、これまでの雇用システムでは企業がもたなくなっているのです。

就職の準備をしていると、そういう情報が嫌でも入ってきます。それをヒントに「日本の雇用システムってどうなっているんだろう」と思って調べていけば、そこからいろいろなことを学ぶことができます。雇用システムが日本社会の中で果たしている役割について分析する力をつけることもできます。

学生の皆さんには、とにかく受かりさえすればいいという視野の狭い就活で終わらせずに、是非そういう力を身につけてほしい。そうすれば、万が一、就職した企業が自分に合わなかった、失敗だったということになっても、転職するときに今度は失敗しなくても済むかもしれません。

大学が就職予備校のようになることは決して望ましいことではありませんが、たとえそうなっていたとしても、そこから学べることはいくらでもあるのです。

恵まれている国、日本で学びの楽しさを知るには?

残念なことに、豊かな国では学ぶことの重要性が見失われがちです。義務教育の制度があり、高校や大学へ行くのは当たり前という空気がある日本でも、学ぶことに意義を感じられない人が結構います。

教育を受けることがいかに恵まれているかに気づかないまま、「なんで勉強しなきゃいけないんだ」と言ったりしますよね。勉強しても楽しくないというのは悲しいことです。学ぶことの楽しさを知らない。これは先進国病で、日本に限ったことではなく先進国ならどこでも見られる現象です。

さらに言えば、自殺もそうです。先進国は自殺する人が非常に多く、日本でも若い人の死因は自殺がトップです。病気や事故よりも自殺のほうが多いのです。内戦状態にあるシリアで自殺する人はほとんどいません。どうやったら生き延びられるかと考えている究極の状態では、誰もが生きることに必死です。なまじ豊かになって、テロで殺される心配もない社会では、逆にいろいろなことを考えて思考が内向きになってしまい、自殺する人が増えてきます。先進国に特有の病気と言ってもいいでしょう。

私たちが学びの大切さを知るには、満足に勉強できない国や地域でどんなことが起きているのか、そのことに思いを巡らしてみることも必要です。先ほどお話ししたように、読み書きができなければ、泥水で粉ミルクを作って赤ちゃんに飲ませるようなこともしてしまうのです。学んでいないために起きる悲劇です。

教員志望の人は、教員になったら子どもたちに学びの楽しさを伝えて先進国病を乗り越えてほしいですね。学校の先生になろうと思ったからには、どこかで学ぶことの楽しさや先生の素晴らしさを知るという体験があったはずです。自分がどういうときに「勉強するって楽しい」と思ったのか。その原点に帰って、それを子どもたちに伝えていけば、子どもたちも素直に受け入れられるのではないでしょうか。

知識を伝えるのではなく、何よりも楽しさを伝えることです。これまで知らなかったことを知ることによって視野が大きく広がっていった体験を子どもたちに伝えて、子どもたちにも同じ体験をさせていく。そうすることで、学ぶことは楽しいと実感させてあげることが大切です。

教養を身につけていくなかで得た喜び

私が教養としての学びを強調するのは、それが私自身の人生を豊かにしてくれたという実感があるからです。もちろん、学んだことが思わぬところで役に立ったという経験も数え切れないほどしてきました。

たとえば、ある観光地に出かけてそれなりに楽しかったけれど、実はその先までもう少し足を延ばしていれば、知る人ぞ知る見どころがあってもっと楽しかったのに、それを知らずに帰ってきてしまったことがあります。非常に惜しいことをしました。そんなとき、『徒然草《つれづれぐさ》』の一節「少しのことにも先達《せんだち》はあらまほしきことなり」をふっと思い出すのです。これは「仁和寺《にんなじ》にある法師」の末尾の一文ですね。何かにつけて、自分よりも物事をよく知っている人を頼りにしたほうが、世の中はもっと楽しくなるものだ、という感懐《かんかい》を述べたものです。あの時代からこういうことを考える人がいたんだなあとふっと懐かしくなります。

あるいは、春は「春眠暁《しゅんみんあかつき》を覚えず」で朝、なかなか起きられなくて眠いのですが、やっと起きて外の景色を眺めたときに、パーッと空が明るくなっているのを見ると、「春は曙《あけぼの》」という『枕草子《まくらのそうし》』の一節が浮かんできたりします。

こういう連想が働くことで共感力が養われ、それが私の心に豊かさや潤《うるお》いを与えてくれます。

眠い春でも、外に出てみると、ようやく冬から春になって空の色が変わってきたことがわかります。特に山の麓《ふもと》の辺りの、雲がかかったあたりの美しさをどうやって表現しようかと思ったときに、「春は曙《あけぼの》。やうやう白くなりゆく山際、少し明かりて、紫だちたる雲の細くたなびきたる」というあの一節が出てくることによって、「うん、そうだよねえ」という、時空を超えて清少納言《せいしょうなごん》の精神世界と共鳴するような気持ちになれるわけです。これが共感力です。

教養として学んだものが、何かあったそのたびごとに頭の中にすっと浮かんでくるということがあるのです。

数年前、ＯＥＣＤ（経済協力開発機構）の一つのプロジェクトで海外から大勢の人たちが来て、その中のある女性がジュリエットという名前でした。自己紹介で彼女がジュリエットと言ったとたんに私が“Oh Romeo, Romeo! why are you Romeo?”と言ったところ、彼女の顔がぱっと明るくなって、「日本に来てこんなこと言われたのは初めてです」と感激していました。その瞬間から突然、彼女が私に対してリスペクトを持ってくれました。

ジュリエットと聞いてすぐにそういう反応をしてくれる人がいたことで、「ああ、この人はそれなりの教養があって話が通じるんだな」と思ってくれたということです。そんなときは、いろいろなことを知っておいてよかったなという気持ちになります。

2章で改元についてお話ししましたね。あの話でも、令和という元号が発表されて『万葉集』が出典だとわかったとき、すぐにこれは言霊《ことだま》だと思い当たり、言霊信仰と結びつけて論じることができたのは、言霊信仰について教養として知っていたからです。日本の元号が長く続いてきたのは言霊信仰からではないかということを、今回、新しく元号が変わるにあたって自分で思いつきました。どこかの本にそういう話が書いてあるわけではありません。自分でオリジナルの考えとして思いついたのです。

ほかの人が言っていないことに気がつくのは嬉しいものです。

教養を身につけると、何気ない出会いが豊かな出会いに変わります。別々だった世界は、実は何層にも重なり合っていることに気づきます。その深く味わいある喜びを、ぜひ体験してください。

おわりに——一緒に「知の宇宙」に旅立とう

いかがでしたか。学ぶことの楽しさが、少しは伝わったでしょうか。

この本は、大学に入りたての若者たちを対象に話した内容をもとに構成されています。せっかく大学に入ったのに、学ぶ意味や意義がわからない人がいたら残念なことだと思いながら話したことが、この本になりました。

とはいえ、読者は大学生に限りません。中には中学生や高校生もいるでしょうし、日々の仕事に追われているビジネスパーソンも、仕事をリタイアして、もう一度勉強してみようと決意された方もいることでしょう。

どんな段階の人でも、学ぶことは楽しいことなのです。それを知ってほしいと願っています。

私が好きな言葉に「無知《むち》の知」というものがあります。ギリシャの哲学者ソクラテスの言葉です。自分がいかに物事を知らないか。それは、いろいろなことを知る過程でわかってくることです。本当に物事を知らない人は、自分が「ものを知らない」ということを知りません。

日々勉強を重ね、知らないことを一つでも知ると、自分がそれまでそのことを知らなかったことに気づきます。さらに、世界には、自分が知らないことが実にたくさんあることを知ります。知らないことは広大《こうだい》な宇宙ほどもある。知らないことがあまりに多いと、ときに絶望的な気持ちになりますが、少しでも知ることで、「知の宇宙」に乗り出して行くことができるような気持ちになります。

さあ、ご一緒に宇宙に旅立とうではありませんか。

本書は、２０１９年5月11日に岡山市のノートルダム清心女子大学で行われた著者の講演録をもとに、大幅に加筆・編集し、まとめたものです。

著者略歴

池上 彰（いけがみ・あきら）

1950年、長野県松本市生まれ。慶應義塾大学経済学部を卒業後、NHKに記者として入局。

さまざまな事件、災害、教育問題、消費者問題などを担当する。1994年４月から11年間にわたり「週刊こどもニュース」のお父さん役として活躍。

わかりやすく丁寧な解説に子どもだけでなく大人まで幅広い人気を得る。

2005年３月、NHKの退職を機にフリーランスのジャーナリストとしてテレビ、新聞、雑誌、書籍など幅広いメディアで活動。

2016年４月から、名城大学教授、東京工業大学特命教授など、９大学で教える。

おもな著書に『伝える力』シリーズ（PHP新書）、『知らないと恥をかく世界の大問題』シリーズ（角川SSC新書）、『池上彰教授の東工大講義』シリーズ（文藝春秋）、『知らないではすまされない自衛隊の本当の実力』、『世界から格差がなくならない本当の理由』（SBクリエイティブ）など、ベストセラー多数。

SB新書　504

なんのために学《まな》ぶのか

2020年３月15日　初版第１刷発行
2023年９月24日　初版第21刷発行

著　者　池《いけ》上《がみ》 彰《あきら》

発行者　小川 淳

発行所　SBクリエイティブ株式会社
〒106-0032　東京都港区六本木2-4-5
電話：03-5549-1201（営業部）

装　幀　長坂勇司（nagasaka design）

カバー・帯イラスト　羽賀翔一／コルク

本文DTP　株式会社キャップス

編集協力　渡邊　茂

校　正　根山あゆみ

印刷・製本　大日本印刷株式会社

本書をお読みになったご意見・ご感想を下記URL、
または左記QRコードよりお寄せください。

https://isbn2.sbcr.jp/04394/

落丁本、乱丁本は小社営業部にてお取り替えいたします。定価はカバーに記載されております。本書の内容に関するご質問等は、小社学芸書籍編集部まで必ず書面にてご連絡いただきますようお願いいたします。

ISBN 978-4-8156-0439-4